廣告副作用：商業篇

（原《誠品副作用》增修版）

李欣頻 著

目次

秋

氣溫是善變的，情緒是善變的。
女人是善變的，色彩是善變的。
食慾是善變的，口味是善變的。
愛情是善變的，關係是善變的。
流行一樣是不忠的，秋一樣是善變的。

冬

一年的尾聲，開始想念起很多東西。
想念十多年沒見的老朋友，
想念轉角那家麵攤的老師傅，
想念在夢裡徘徊不去的老口味，
想念風景明信片裡的老街風情。

B【城市・旅行・戀物癖】

班傑明（Walter Benjamin）體內有個圖書館，
不惜變賣家產拼命買書；
我體內亦感覺到有一座博物館的需要，
這座博物館雖然空著，但早已分好類別，
等著我在旅行Shopping時填滿。
每年出國敗家六次，我從已經到訪的四十個國家中，
找出自己的精神脈絡，
從Shopping中建立自己的物體系，
從收藏裡，歸納出自己的戀物信仰。
阿爾維托・曼古埃爾在《意象地圖》中說：
「人類在自己的洞穴壁上，劃出線條，或是印下手掌跡，
以表示自己在場，以填補空白處，以傳達記憶……」
我將依據陽光法案，公佈我的戀物情節，
我的收藏型錄，我的財產清單，我的百科全書。

C 【身體・氣味・美麗的排場】

D【影音・故事・有情節的感官】

環境驟變，人心瞬變，
站在版塊流變的當口，
我們迫切需要一個新視代。
長出新的臍帶，與大地重新聯結，
向各維度匯取得新的滋養，
於是我們有了宏觀的思維，微觀的官能，
複眼的世界，生命因此衍生出了多元的吐納系統，
深耕的足，無羈的翼，行動出縱深寬闊的疆域。
基因排序已重組，
新視代的柏拉圖、達文西、米開朗基羅、泰戈爾已經誕生，
整個世界因此換了面貌。

E【夢想·科技·數位藝術】

地球萬事萬物，在天堂都有理想的版本，
其重要性並不在於它們是否真實存在，
而在於我們無瑕的追求。
——柏拉圖

用想像力幫自己在難以適應的現實社會中，
不停地在網路世界中找出口，
就像走失在百年無人的大宮殿中，
發現一個個可以自得其樂、夢想版圖無限蔓延的微宇宙。
想像力永遠走得比文明快，
沒有想像力，
網路也無法帶著你無遠弗屆。

F【附錄】

感謝
安哲羅普洛斯。奇士勞斯基。拉斯凡提爾。
法斯賓達。貝托魯奇。費里尼。
柏格曼。彼德・格林納威。楚浮。
布列松。溫德斯。高達。
阿莫多瓦。黑澤明。小津安二郎。
伊丹十三。侯孝賢。張藝謀。
大島渚。寺山修司。荒木經惟。
三宅一生。山本耀司。村上春樹。
賈西亞・馬奎斯。卡夫卡。西蒙波娃。
彼德・梅爾。卡爾維諾。羅蘭・巴特。
米蘭昆德拉。波赫士。三島由紀夫。
索甲仁波切。張愛玲。瑪格麗特・莒哈絲。
波特萊爾。村上龍。聖修伯里。
維吉尼亞・吳爾芙。金基德。
因為它們是讓這座創意魔島浮起來的最大動力

作者簡介

李欣頻

攝影／陳明聖

政大廣告系畢業，政大廣告研究所碩士，北京大學新聞與傳播學院博士，曾任教於北京大學新聞與傳播學院，擔任《廣告策劃與創意》課程講師，並曾於北京中醫藥大學修習半年。並為收視率達三億之大陸旅遊衛視頻道《創意生活：土耳其、臺灣》特約外景主持人。

有著作家詩人的孤僻性格＋靈修者洞察深處的眼睛＋旅行者停不下來的身體＋廣告人的纖細敏感與美學癖＋知識佈道家想要世界更好的狂熱＋教育者捨我其誰的使命感。

曾任意識形態廣告公司文案、誠品書店特約文案。宏碁數位藝術中心特約文案創意。

台灣廣告作品

中興百貨、遠東百貨、誠品書店、誠品商場、宏碁數位藝術中心、富邦藝術基金會、台新銀行玫瑰卡、臺北藝術節、鶯歌陶瓷博物館、加利利旅行社、臺北市都市發展局、新聞處、統一企業集團形象廣告、飲冰室茶集、雅虎奇摩網路劇、台灣大哥大簡訊文學獎、公共電視形象廣告案……等。

大陸廣告作品

現代傳播集團《周末畫報》、《優家》、《iweekly》形象廣告案，西安音樂廳、汕頭大學圖書館、CA BRIDA、北京海文機構、上海大悅城開幕廣告等。

專欄

曾為聯合報、自由時報、廣告雜誌、香港ZIP雜誌、皇冠雜誌、TVBS週刊、ELLE雜誌、MEN'S UNO雜誌、大陸北京晚報、中國圖書商報、費加洛雜誌、女友、廣告大觀、城市畫報、嘉人雜誌、時尚健康、優家、職場……等之專欄作家。

任教資歷

台灣科技大學、中原大學、臺北大學、青輔會、成功大學、學學文創、誠品信義講堂、北京大學新聞與傳播學院……關於廣告、創意、創作、出版課程之講師。

台灣：太平洋SOGO、新光三越、AVEDA、衛生署中醫藥委員會、聯電、旺宏電子、德州儀器、統一企業、東森得意購、宏碁、民視、NOVA、康健雜誌、南山人壽、國家音樂廳、國家戲劇院、富邦講堂、誠品書店、數位學院、幼獅文藝寫作班、臺北市立圖書館、桃園巨蛋體育場、文建會公民美學講座、摩根富林明、十大傑出青年基金會、動腦講座、中國生產力中心、數位時代創意實踐講堂、北美館（台灣生活創意座談：誰來寫台灣設計品牌）、當代藝術館、臺北電影節、台灣大哥大、芝普、國貿學院經管策略管理將帥班……以及台大、政大等數十所大專院校之邀，公開對外演講或是公司員工內訓。

海外：獲邀至馬來西亞華人書展、新加坡、香港等地演講，中國書刊發行業協會主辦的書業觀察論壇、上海書城、上海圖書館、北京大學國際時尚管理高級研修班、北京聯合大學、北京民族大學、美國協和大學MBA中國中心、以及第二屆中國國際文化創意產業博覽會、北京798之AH創意沙龍、廈門32 SHOW創意院落、上海十樂、廣州城市畫報主辦之創意講堂、深圳人民大會堂、湘潭大講堂……等大陸各地講堂或創意產業園區中演講，並為中國第一娛樂互動門戶：貓撲網、招商銀行、淘寶網、中國電信、藍光、江蘇電視台、湖南衛視……進行企業培訓。

評審資歷

曾任北京青年週報換享創意競賽評審、二〇〇八年廣州日報盃華文報紙優秀廣告獎的決賽評審、全球最大學生創意競賽金犢獎決選評審、FRF「時尚拒絕皮草」藝術設計大獎決選評審、二〇〇九臺北電影獎媒體推薦獎評審、連續五屆台灣廣告流行語金句獎評審、二〇〇九年臺北電影節媒體推薦獎評審、誠品文案獎評審、南瀛獎動畫類評審、董氏基金會大學築夢計劃決選評審、中國時報文彩青年版指導作家、TWNIC第五屆網頁設計大賽決選評審委員、救國團「創意與創業全國」座談會與談人、金鐘獎評審委員。北京青年周報換享創意競賽評審、二〇〇八廣州日報杯華文報紙優秀廣告獎的決賽評審、全球最大學生創意競賽金犢獎決選評審。

廣告代言

SKII、香奈兒彩妝、PUMA旅行箱、Levis牛仔褲、NIKE、Aêsop馬拉喀什香水、OLAY、匯源果汁、三星手機等。並與《可可西里》導演陸川、大陸知名歌手郝菲爾共同獲選為二〇〇八年度Intel迅馳風尚大使。

散文作品被收錄於〈中華現代文學大系〉散文卷。文案作品被選入《台灣當代女性文選》。二〇〇九年金石堂書展選為不可錯過的八位作家之一。二〇一〇年統一企業主辦網路票選年輕人心目中最喜歡的十大作家之一。

二〇〇四年數位時代雜誌選為台灣百大創意人之一。天下遠見文化事業群之《30雜誌》二〇〇六年九月號，選為創意達人之一。二〇〇九年入選大陸年度時尚人物創意家。入圍二〇一三年中國作家富豪榜，同年獲得COSMO年度女性夢想大獎、講義雜誌年度最佳旅遊作家獎。

接受過兩岸各大媒體專訪，台灣：中國時報、聯合報、自由時報、蘋果日報、中天電視台、中視、民視、超視、飛碟電台、遠見雜誌等。大陸：新浪網、搜狐網、中國廣播電台、中央人民廣播電台、廣州電視台、上海電視台、北京新京報、北京青年週刊、城市畫報、國際廣告雜誌、上海新聞晨報、上海外灘畫報、天津日報、燕趙都市報……等近百家媒體採訪。

目前已經旅行包括全歐洲、東北非、杜拜、阿布達比、印度、東南亞、東北亞、南極、美洲、不丹……等五十多國。

李欣頻作品

《李欣頻的創意天龍8部》：

第一部：《十四堂人生創意課1：如何畫一張自己的生命藍圖》

第二部：《十四堂人生創意課2：創意→創造→創世》

第三部：《十四堂人生創意課3：50個問答+筆記本圓夢學》
第四部：《私房創意能源庫：50項私房創意包．50樣變身變腦法》
第五部：《旅行創意學：10個最具創意的「旅行力」》
第六部：《人生變局創意學：世界變法，你的百日維新》
第七部：《十堂量子創意課：10個改變命運的方法》
第八部：《打造創意版的自己：創意腦與創意人格培養手冊》

《李欣頻的環球旅行箱》：
三部曲之一：《創意啟蒙之旅》
三部曲之二：《心靈蛻變之旅》
三部曲之三：《奢華圓夢之旅》

《李欣頻的時尚感官三部曲》：
三部曲之一：《情慾料理》
三部曲之二：《食物戀》
三部曲之三：《戀物百科全書》

《李欣頻的都會愛情三部曲》：
三部曲之一：《愛情教練場》
三部曲之二：《戀愛詔書》
三部曲之三：《愛欲修道院》

《李欣頻的覺醒系列》：
《為何心想事不成：秘密裡還有十個你不知道的秘密》
《愛情覺醒地圖：讓你受苦的是你對愛情的信念》

《李欣頻的曆法系列》：
《馬曆連夢錄》
《正能曆》
《萬有引曆》

《李欣頻的音樂導引專輯》：
《音樂欣頻率》（風潮唱片）

李欣頻Facebook粉絲專頁http://www.facebook.com/leewriter0811
新浪微博、騰迅微博@李欣頻，微信公共號請搜「readers0811」或「李欣頻」，微信服務號請搜「source0811」或「欣頻道」
其中騰迅微博粉絲人數已超過四六〇萬人。

A

百貨・節慶・禮遇的三百六十五種藉口

放假、狂歡、相聚、團圓、送禮，然後精神周而復始，肉體重蹈覆轍。為了讓三百六十五天過得高潮迭起，我們巧立春、夏、秋、冬，各種狂歡日夜的名目。

春

蛻去厚重的大衣毛衫，
走進百花盛開、百物風行的新世界，
最大規模的色聲香味光合作用，
讓所有感官都被暖陽曬醒了。

誠品商場武昌店

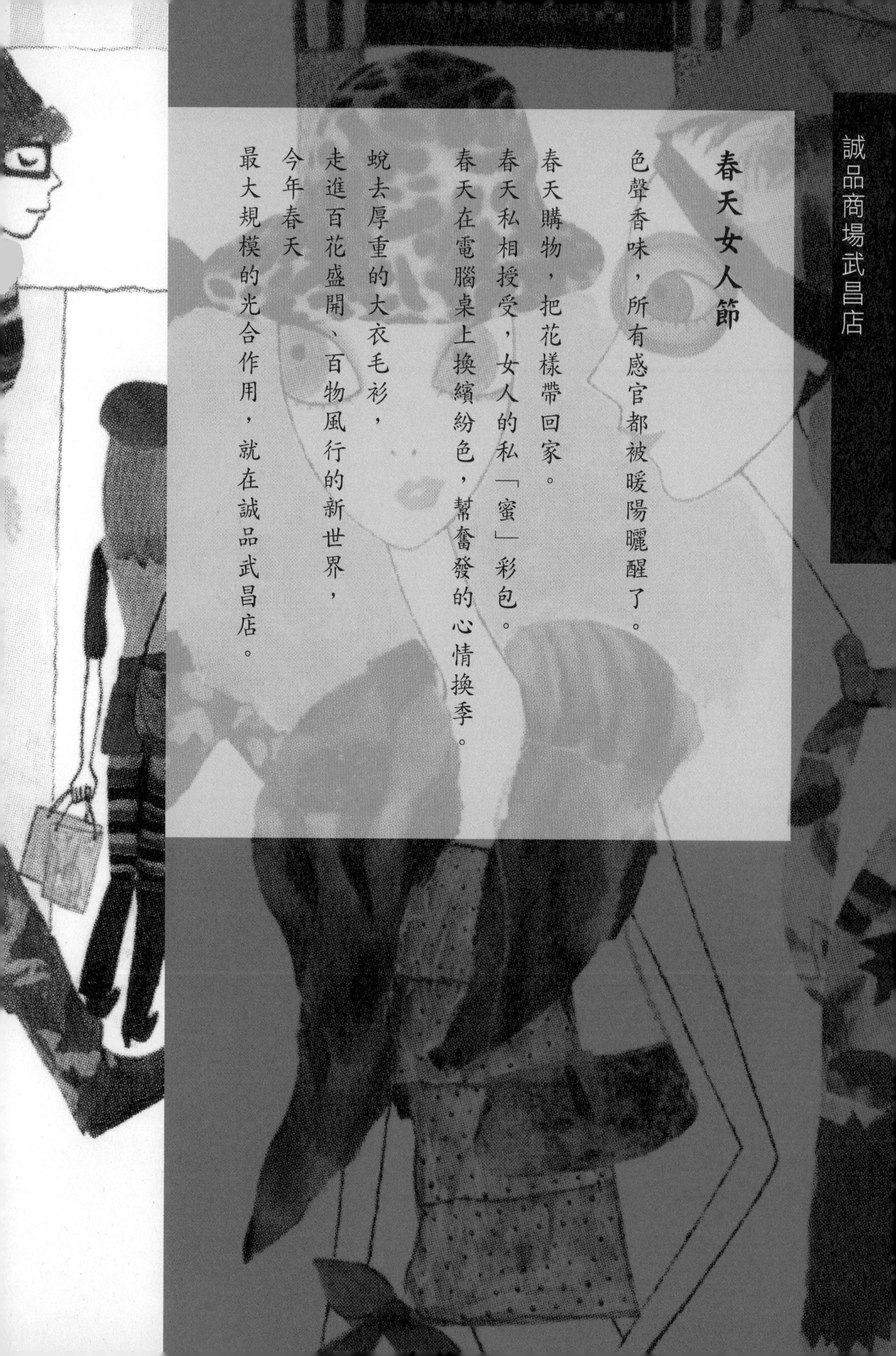

春天女人節

色聲香味，所有感官都被暖陽曬醒了。
春天在電腦桌上換繽紛色，幫奮發的心情換季。
春天私相授受，女人的私「蜜」彩包。
春天購物，把花樣帶回家。

蛻去厚重的大衣毛衫，
走進百花盛開、百物風行的新世界，

今年春天
最大規模的光合作用，就在誠品武昌店。

插畫：林怡芬

白感交集的春天，白無禁忌

霜白。雪白。冬天北極狐的白。
川久保玲「沒有存在」的白。奇士勞斯基情迷的白。
波希米亞頹廢的白。

雲的白。輕的白。鳥羽的白。夢境的白。
潔癖的白。不貪污的白。痛恨有顏色暴力的白。用過防曬油的白。
與黑對比的白。所有光混合的白。極限主義的白。
玉的白。靈性的白。香檳白。大麴茅臺有酒意的白。
簡單的白。勾描不上色的白。五四運動口語化的白。
智慧華髮的白。真相的白。不想有瑕疵的留白。

白色是一種沒有重量，可以飛的幸福；
世紀末無色調風華，百件春品，白感交集，
一九九八年三月六日至四月五日，誠品商場春品上市，
請您開始白無禁忌！

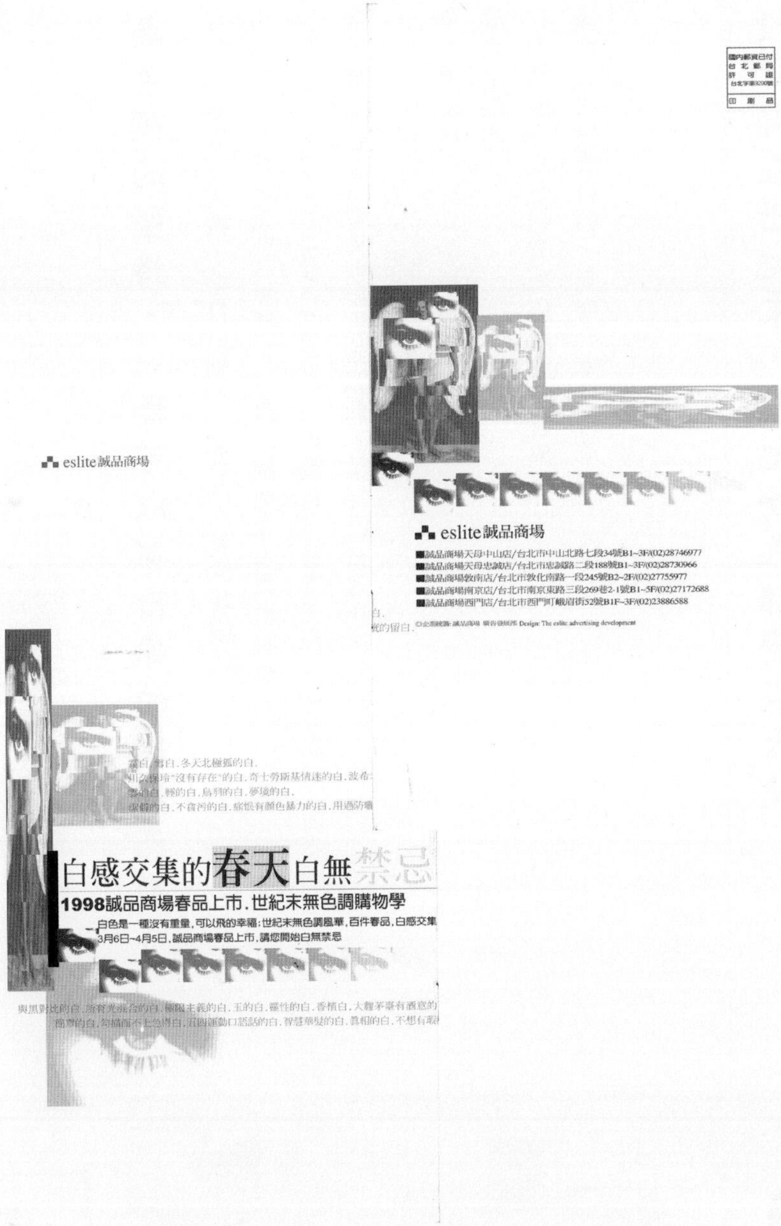
國內郵資已付
台北郵局
許可證
印刷品
eslite誠品商場
eslite誠品商場
■誠品商場天母中山店/台北市中山北路七段34號B1~3F/(02)28746977
■誠品商場天母忠誠店/台北市忠誠路二段188號B1~3F/(02)28730966
■誠品商場敦南店/台北市敦化南路一段245號B2~2F/(02)27755977
■誠品商場南京店/台北市南京東路三段269巷2-1號B1~5F/(02)27172688
■誠品商場西門店/台北市西門町峨眉街52號B1F~3F/(02)23886588
Design: The eslite advertising development
白感交集的春天白無禁忌
1998誠品商場春品上市.世紀末無色調購物學
白色是一種沒有重量,可以飛的幸福;世紀末無色調風華,百件春品,白感交集
3月6日~4月5日,誠品商場春品上市,請您開始白無禁忌

Man's Grandeur

無色調的堅持，一樣可以穿出你的個人色彩

打開蛋形的打火機，給自己點上一九九八年的新靈感。
挑一只MH WAY的計算機，算出一個個令人興奮的數字。
放上GRANTS OF DALVEY三角地圖鐘，替春天換一種新的生活步調。
穿一雙PRO-KED'S的復古休閒鞋，讓自己在健身房跑回年輕。

熟悉的品味，有新的驚豔，
看得上眼的，
我們都來得及在春天來臨前放上貨架，
讓你一次買齊行頭，在辦公室風行草偃一陣子。

Lady's Spring

設計師在世紀末，想把女人都變成天使

今年春天怎麼過？
選一雙NINE WEST的鏤空鞋，踩過涼涼的雨水。
披一件MORGAN的針織上衣，和天氣平分春色。
雨過天晴，就拿RED EARTH在臉上畫出彩虹。

在星期天掛上SILVER TOWN十字項鍊，等待下個世紀愛情的救贖。
憑妳最擅長的美麗第六感，
一定可以搭配出最不一樣的風情，在一九九八。

Life's Choice

有品味潔癖的人，拿下手套盡情採購

鼻子裡的神經原，每三十天就該換新。

——Diane Ackerman

關於香料・保養

走進香料市場，用印度的靈感，或是延用剛果的配方，
把身體當成一個個部落去探險。

小麥胚芽就該拿來復活臉蛋，
蜂蜜用來養長髮，
浴鹽讓身體浮在地中海面上。

如果想和你弄成同一種味道，
只要送你一瓶AVEDA就行了。

關於靈感・生活

用童年以來的默契，幫你買一只PEKO的行動電話套。
用調皮的預感，替孩子換上維尼熊的熱水瓶。
用魔術把鼻子、嘴和衣帽一起掛在雲端上。

在這裡選對東西的機率很高，數百款創意符碼，
可以讓你做一次最徹底的家藝復興。

Table's Scene

口慾潔淨的人，在這裡可以不必挑食

把花園搬到WedgWood的茶杯上來野餐。
Bravo的法式魔杖，可以變出一桌芭比的盛宴。
每次她一切有藍姆口味的Cheese Cake，他就會特別興奮。
有吸血鬼的夜晚，記得要把HEDIARD的紅葡萄酒收好。

食物是凡人戒不掉的精神藥物，所有九八春夏的廚房新道具，
每天清晨在餐桌上，給你最振奮的心情。

無色調的堅持，一樣可以穿出您的個人色彩。

打開蛋型的打火機，給自己點上1998年的新靈感。
挑一只MH WAY的計算機，算出一個令人興奮的數字。
放上Grants of Dalvey三角地圖鐘，替春天換一種新的生活步調。
穿一雙PRO-KEDS的復古休閒鞋，讓自己在健身房裡跑回年輕。

Man's Grandeur

熟悉的品味，有新的驚豔。
看得上眼的，我們都來得及
在春天來臨前放上貨架，
讓你一次買齊行頭，
在辦公室風行草偃一陣子。

Man's Grandeur

AIE NEW BALANCE
新潮休閒背包
NT$900元（敦南/西門）
MH WAY背包
NT$3300元
（中山/敦南/西門）

1. G2000線衫NT$2080元（西門）
2. ROCKPORT男鞋NT$4380元（中山.忠誠.敦南.西門）
3. Dr. Marten男襪NT$200元（敦南）
4. MH WAY公事包NT$5800元（中山.敦南.西門）
5. 誠品精選刻花鋼筆NT$3800元
6. 誠品精選原木原子筆NT$2600元
7. 誠品精選三角型桌鐘NT$3080元（忠誠）
8. AU AU 誠品精選領帶NT$2480元（忠誠）
9. 清庭Mister X(GREY)男錶NT$37800元（敦南）

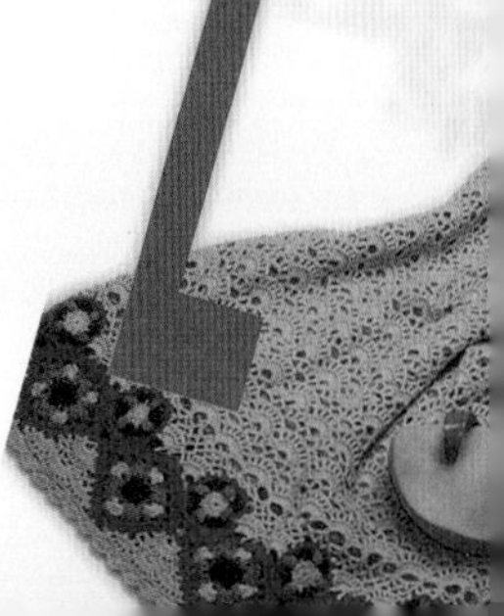

春天的道德問題

把衣櫃當魔術箱是道德的，
把衣櫃當倉庫是不道德的。

戴一枚人工合成鑽戒是道德的，
穿戴一身象牙釦又高談環保是不道德的。

與男友分手時說謝謝是道德的，
各奔前程後還到處宣揚是不道德的。

自戀而自憐是不道德的，
自戀而自覺是道德的。

一年只買兩件好衣服是道德的，
光買衣服而沒有衣盡其用是不道德的。

春季折扣，正在進行。

註：「一年只買兩件好衣服是道德的」是延用當年中興百貨的年度Slogan

道德・尊嚴・與性騷擾

黑白片《聖女貞德》（Joan d'Arc）每年在校園裡必定在電影週放映一次，
校園報上寫著電影不是真理，並連載日本井原西鶴處女作品《好色一代男》。

關於校園教授騷擾女學生，時有所聞，
上了年紀的男教授據說每週五晚上都會看一次《羅丹與卡蜜兒》，
並振日疾書地寫著關於師生戀主題的升等論文。

三坪不到的教授研究室換上烏玻璃黑窗帘及雙道內鎖，
以裝訂講義及資優生商談的名義，
騙入一個天真無瑕連男朋友也沒有交一個的純潔女學生。

被傷害的女學生忍辱地讀完四年的書，
倉皇地逃出校園仍逃不出有一半男人的世界。

尊嚴早在生為女孩時就被閹割了。
即使在離島孤荒小學裡，男校長仍為了一己私慾而忘了愛心。

某位藝術女老師建議：「當你對是女人本身感到困難時，試著當女人四周的空間。」的確，目前性別形式的界定中所涉及的「什麼不是」以及「什麼是」時，需要同等的小心。這位女老師開始寫劇本，寫關於「四周空間」的十分鐘偶發事件。鐘、人腿、紅衣、絲襪，男聲是非傳統的傳統背景、鐘上的十一點十五分是啟始，十二點是終結。這十分鐘是有機性事件，人的性別歧視血腥地落在四周的牆上，直到滿足鐘的雄性快感為止。

劇本以記錄片的方式拍攝

為了消除人性的障礙，導演需消毒所有「個性上的堅持以及堅定」是必要的。

3:25PM，那位藝術女老師宣布拍攝開始，並朗讀記錄片的八大原則：

（一）全程拍攝嚴禁人聲，以免在留音帶上留下沫垢。

（二）拍攝必須在男教授的研究室裡一次完成，並且憑著暴動及熱情使任務圓滿達成。

（三）拍攝必須準時（十一點五十分至十二點整），若NG則把全部作業延至明天。

（四）錄音器和攝影機的運作必須百分之百的融合在一塊，唯有同步才沒有背叛的問題。

（五）當我們的紀錄片完成時，所配的聲音（純屬空間）必須符合那位提供拍攝場景的男教授之各種需要。

（六）同步拍攝的機器必須擁有它自己的能源供應設備，否則電力公司惡意停電則會造成數萬元的預算浪費。

（七）拍攝期間必須保險沒有任何意外的發生，因為我們所拍攝的是無可重複的瞬間，除非上帝特別允許。

（八）這支紀錄片不准任何人或上帝剪接或是摘選播出，必須買全支播映版權，並且不二價。

這支紀錄片在坎城得獎。頒獎人正是位男教授。

藝術女老師說下次計畫拍的紀錄片是《好色一代女》。

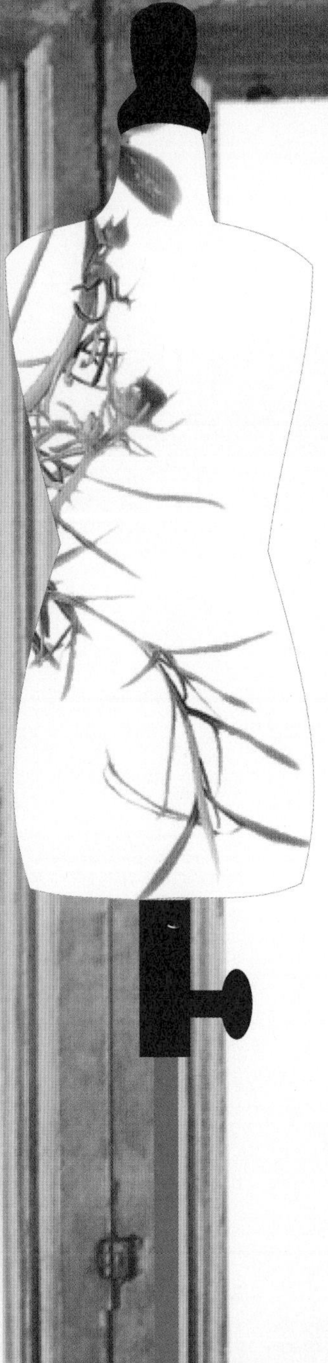

夏

迷你裙在豔陽下示威，涼鞋在鞋架上連署完畢，
泳衣主張解散毛衣，衣櫃要求全面改選，
有心人士藉著流行的路線之爭，發起品牌的階級革命，
防曬油則忙著訂定夏季革新時間表。
夏天在五月二十日，推翻了春天的政權。

五二〇前的十面埋伏

07:10AM 一批標準男女弔詭地西行八德路三段，兩萬四千個噪音挑逗起清曉通體的欲望，性感得要命。

08:10AM 八百個得流行敏感症的先知們，在長安東路上固執地向東疾走，稀有的時空消耗尖銳的階級偏見，紅綠燈則閃起一個新的享受消費方向。

09:45AM 主張低度消費倫理哲學的清教徒，則由和平東路向阿拉的方向靠去，所有的儀式控制得宜，只滲入極少數致命的狂野。

10:59AM 野夏前一分鐘飢渴計時，三個等待瘋狂採購的漂亮女子，正埋伏在五星級飯店門口饑渴計時，且堅決不邀請完美無瑕的男人。

11:00AM 徹夜暴飲酒精的人乍然驚醒，快感制約著高溫的復興北路，甚至有人感動得痛哭起來。

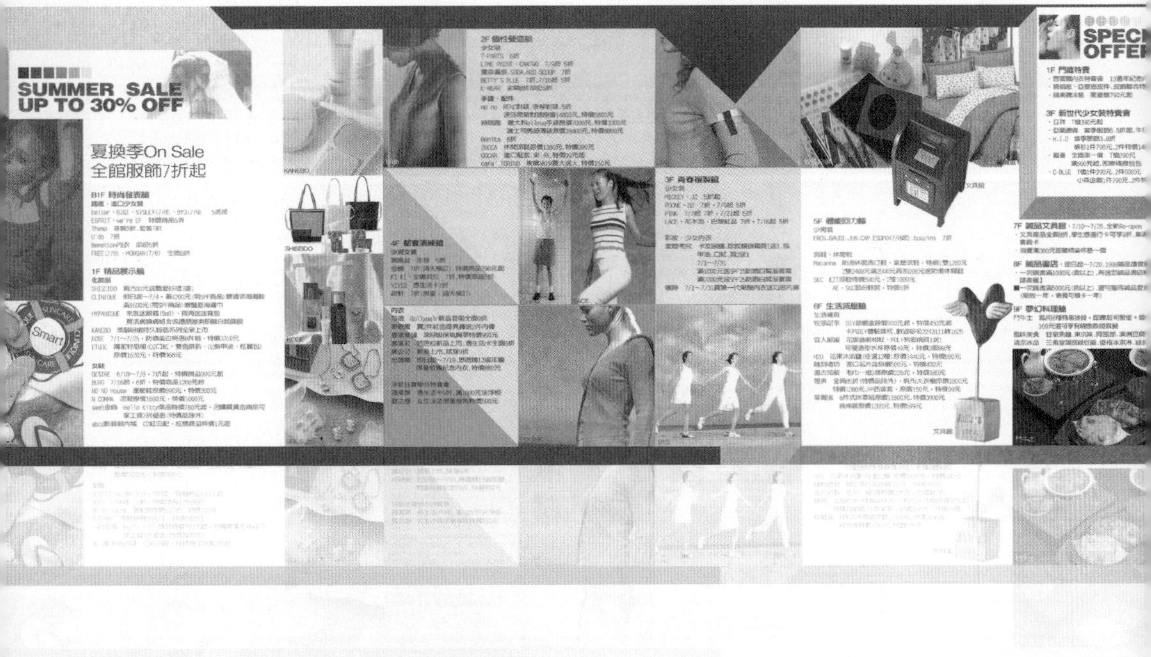
SUMMER SALE
UP TO 30% OFF
夏換季On Sale
全館服飾7折起

夏天在五月二十日，推翻了春天的政權

迷你裙在豔陽下示威，涼鞋在鞋架上連署完畢，泳衣主張解散毛衣，衣櫃要求全面改選，有心人士藉著流行的路線之爭，發起品牌的階級革命，防曬油則忙著訂定夏季革新時間表。

價格懸掛布條揭竿起義，Teddy Bear出來擁抱群眾，九九九項新品在西門町前集會遊行，夏天在五月二十日，推翻了春天的政權。

當東方再次遇見西方 When East Meets West Again

——二〇〇四年春夏，大遠百的新風華絕代。

一九九七年，歐美吹起了一股「東方風」。
半透明斜裁刺繡長衫、性感流蘇披肩，
以神秘媚惑的姿態，吸引全球時尚界的目光。

二〇〇四年，東方再次遇見西方。
受全球影迷矚目的電影《末代武士》，
將東方的武士道與西方的騎士精神，
交會出一場東西方動人的生命華彩。

這回東方與西方再次相遇，
已經不再只是形式的混體，
而是精神面、哲學層次的和平融合：
東方的黑白極簡禪風，

在北歐的流體傢飾裡，展現出老子「致虛極，守靜篤」的境界；
東方的孔雀刺繡，
在澳洲的摩登白皮革上開屏，招展出一個華美盛世；
東方的綠色花卉，潑彩在一名西方女人身上，
在伸展臺上蔓長玲瓏有緻的清靜。

東方再次遇見西方—
在全新風貌的大遠百裡，
全省．全館．全面展現—
二〇〇四年的春夏新風華絕代。

已經失去品牌忠誠度。

為了維護你的獨特性，
Mix Match開始自由地宣示你的風格主權。

身體是自由的，靈魂沒有國界，
我們的風格，也不再有品牌的束縛。
東方與西方混血，純真與性感混齡，
無國界的衣裝實驗，只對你的獨特性效忠。

東方的嫵媚，以西方大膽的流線台步，
擺動出令所有人癡迷的窈窕美感；
歐式皇族的性感薄蕾絲，配上寬鬆的東方古金色禪裙，
把感性與知性之美，同時展現在一座美麗的身體風景之上。

這是一場令人目不暇給的視覺驚豔，
我們已經分不出品牌，分不出東方西方，
所有的美，無論是源自何處的設計品牌血統，
都在此時此地和諧而美地共處，
渾然天成。

一如白光、周璇、李香蘭、鄧麗君、蔡琴、梅豔芳的風采，
在台北最時髦的LOUNGE BAR中魅力不褪，
這種歷久彌新的流行風華，
只能在具有歷史經典性的全新大遠百場域中，
驚豔展現。

MOSCHINO

東方花草，西方布風。

綠色潑墨的花葉，在玲瓏的身軀上蔓長，
展現俐落西方風的搖曳生姿。
或是我們俏皮一點，
繡花的小短衫，配上輕快的流線短裙，
讓東方自然的心靈，走著西方自由的腳步。

時而調皮，時而性感。

東方女子的優勢，就是看不出年齡。
因為我們有時調皮可愛，有時性感成熟，
在我們身上有著各種年齡的混體。

就讓我們來實驗一場年齡混合的穿法：
在典雅的A字白布裙邊上，縫上心愛洋娃娃的衣服，
把童年穿在身上，帶著彩色心情去約會。

MAX&CO
歐式蕾絲，東方禪裙。

歐式皇族寢宮的性感薄蕾絲，配上寬鬆的東方古金色禪裙，
把曖昧性感與飄逸知性之美，同時展現在一座身體風景上。
或是，
就讓我們更大膽一點，
把粉紅色的睡衣穿出門，只要穿上皮靴，
我們的美，還是一樣有力量的。

ESCADA SPORT

野性與花，皮與牛仔。

牛仔布很野，我們縫成了小可愛，
展現上半身最大的青春活力；
配上東方窗櫺與花交織的紅長褲，
東方的古典美就沿著修長的腿，
亭亭玉立。

BCBG

時而純真，時而性感

懷舊的手繪印花，開在甜甜的玫瑰深粉紅裡，
嫵媚地倚在細皺摺波紋與荷葉邊身腰曲線上，
任風吹出令所有人癡迷的窈窕美感。

Versace Jeans

巴西舞衣，華麗晚宴

你敢展現線條，Versace Jeans就讓你露出誘惑的雙肩，
你敢展現舞步，Versace Jeans就讓你秀出好動的雙腿，
黑皮革、重金屬、輕尼龍、亞麻布、毛織料……
是你巴西熱舞必備的性感配件，也是晚宴最炫的鎂光焦點。

Laurel

女人與小孩，優雅與好動

夏天到了，女人一靠進海灘就變成了小孩，
南洋風的無憂無慮，讓她們開心極了，
有時優雅，有時好動，
全看風向與溫度怎麼變化。

Pachino Wan

老萊子與童年，歡樂與七彩

老萊子醒了，設計師為了讓這世界充滿會心一笑，
所以把七彩的童年縫在衣服上，走進每一巷弄裡，
讓每一雙冷漠已久的眼睛，重新亮起歡樂的光采。

ELFING

仿紗與蝴蝶結，荷葉與洋裝

偶爾會嘟嘴鬧鬧性子的女孩，讓人很想好好哄著她。
穿著飄逸的性感仿紗，卻別上童話故事般的蝴蝶結，
ELFING的法國式脾氣，有著讓男人乖乖依著她的魅力。

7SM

刺繡與油畫，民族麻布與激情彩料

畢卡索的狂野想像，與中國邊疆民族交染，
一種很東方也很西方的豔日紅、神秘黑、夕陽橘、貴族黃、寶石綠，
以手工刺繡在麻布上織出一種：無法言傳的風塵僕僕與風情萬種。

夏姿

露水與仙子，花瓣與彩蝶

我們想飛回到：
有山茶花、有梅香的庭園裡，
所以需要一對棉麻般的輕翅。
Shiatzy Chen以青春縫了好幾件衣衫，
趁這晨露最清涼的時節穿上吧！

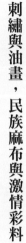

Just Cavalli

騎士與水手，羽毛與帆布

生命太美好，讓我們以貴族馬術與富豪遊艇，
飆出感官的極速與興奮的極限——
以水手帆布對付風浪，以騎士皮革對付風沙，
以亮片對付夜晚，以羽毛對付地心引力，
以你驕傲的戰鬥力，
對付所有的風阻磨擦力。

D&G

城市與運動，軍裝與衝浪

讓我們以光滑的亮面與樸質的布面，
設計出最能應對這城市多變風貌的衣裝。
偶爾我們可以穿粉紅色的軍裝去約會，
穿漆皮的涼鞋去開股東大會，
背著螢光的手提袋去衝浪比賽。

配件是身體與衣服之間，最創意，最美，也是最有劇情景深的觸媒

掛在身體邊的un jour un sac提包，是我們身體的延伸容器，
它必須與當天衣服的款式花色一起連袂出席，
可以讓你與姐妹淘玩著交換手帕、手機與男友的遊戲，
就像挑今夜晚宴男伴一樣。

ANNA SUI用古魔法與時尚咒語，
雕造出一串串包含著洛可可神話、異種花卉、奇幻夢境的身體圖騰，
只加冕給忠誠的流行信徒們。

CAROLEE把大自然的手工藝，賈桂琳的貴族氣質
全搜刮進了她的珠寶實驗室：
純銀、皮革、無瑕珍珠、透明水晶、七彩半寶石，
這裡是每個女人最神往的美麗礦區，進去就不想出來了。

SAINT-HONORE以瑞士百年的精工技術，
融合法國香榭里舍的時尚風華，讓你與世界潮流同步，
及時抓住每分每秒的浪漫。
PHILIPPE CHARRIOL把16:9的電影銀幕，
搬進了ACTOR的腕錶上，
他希望所有最深刻的戀人情節，
都掌握在彈指之間。

MCM以德國古典的精準手工，縫繪出華美奢侈的皮件作品，
我們都有幸不必花博物館的參觀門票，
就可以親身體觸Signature Classic的頂級質地。

LONGCHAMP想要創世紀，
把東方花卉、熱帶雨林裡的天堂鳥，
全請上了皮製的諾亞方舟，
讓你隨身提往新天堂樂園。

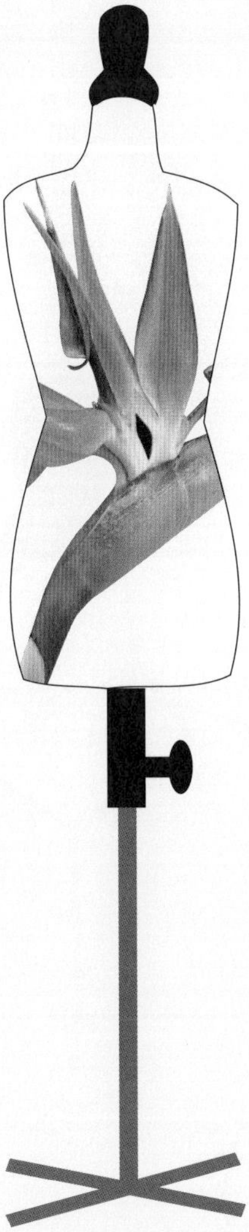

ROSDENTON是錶中的勞斯萊斯，
以寶石、晶鑽、真鑽排出時間的排場，
在你面前展現的每分每秒，
都比別人亮眼炫麗。

VIVIENNE WESTWOOD是拳王阿里的最愛，
他喜歡PIERO GUIDI的皮質感，讓他重拾非贏到不可的征服欲。

HUSH PUPPIES努力討好每一雙在城市中行走的腳，
以舒適的多方彎角的柔韌氣墊、零重力懸浮超輕鞋底，
讓你有走在沙灘上度假的愉悅錯覺。

DK從伊甸園裡偷出金、銀、銅製的靈感，
並依北歐童話的典故，
手工打造出給公主的碎花項鏈、聖潔十字架、寶石頭冠……，
甚至還為她設計很太空未來的發光項鍊，
讓她好順利登陸到其他星系去旅行。

還好，這裡有數不盡：
東西方元素大規模混血的美麗選擇，
讓我們永遠有用不完的提包，
可以創意展示我們的隨身優雅。

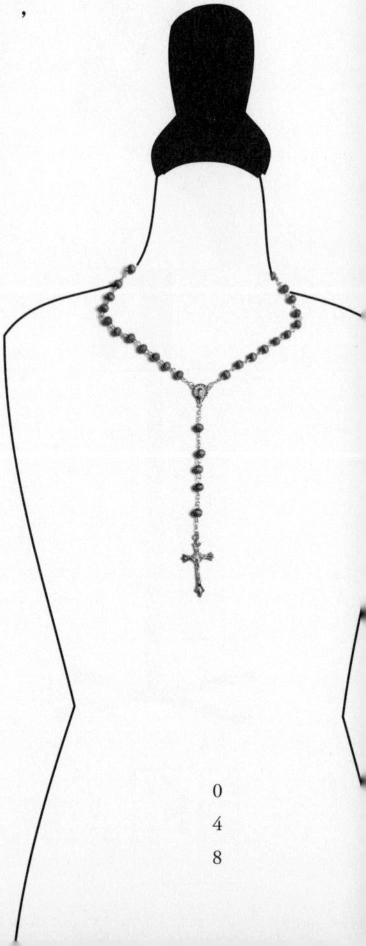

經典傢飾篇

在有歷史的老空間裡，長出很未來的生活器皿。

我們在有歷史的老空間裡，長出很未來的生活器皿：
老奶奶的舊廚櫃，崁上rassland銀藍流線型水盆；
老醫生的古藥櫃，E世代DJ依藥名放置了各國的LOUNGE MUSIC；
老祖父留下的金漆佛座，
無神論的孫子將祂搭配兩支蛇體的燭臺，當成客廳的藝術展示品；
媽媽陪嫁的古紅檜櫃，
上面放一只SEGUSO VIRO地球藍的玻璃花器；

幾代傳下來的心經書法屏風，
就放在法式皇家沙發的背後。

影音書店篇

這裡是東西潮交會的知識與娛樂轉運站。

關於東方的歷史典故，西方的流行資訊，
我們需要一個幫我們匯整分類好的書店，
一個幫我們隨時上片的戲院，
依趨勢脈動替我們更新情報、轉換心情。

生活香氛篇

到大自然親手採集自己的美麗配方，
只用最新鮮的初榨精華，堅絕人工化學品。

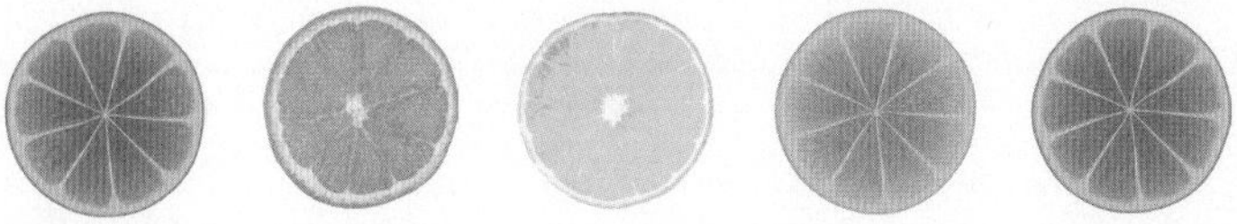

LUSH開了一家生鮮超市，
所有的清潔保養配方，妳都得親自到大自然中採集，
妳必須動手為自己獨特的美麗付出心力勞力，
不得假手他人。

在保鮮期只有一個月的沙拉吧，摘舀你的蔬果面膜，
在木製工作臺上，刨切下你所需的精油香皂，
然後去秤重計價，趁鮮使用。

L'OCCITANE正在舉辦普羅旺斯橄欖節，
伊斯杜孛隆堡珍貴初榨的橄欖汁油，新鮮萃出妳御用的護膚護髮品，
讓妳的身體在第一時間享受到：法國鄉村最精華純淨的洗禮。

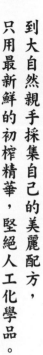

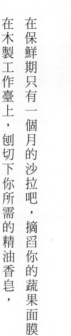

化妝品篇

所有新世紀的夏娃都回到伊甸園裡，
以星光、泉水、花彩、蔬菜……妝點容貌，
她們是自己的造物主，
不再需要上帝了。

CHANEL以水漚柔地吻著，讓你濕潤微啟的唇，
有著透明誘人的魅力。

LANCOME把甜亮果凍浮在唇上，
讓你瞬間可口，秀色可餐。
植村秀以日本江戶幕府時代貴族的美學，把彩妝品擺成了一個畫室，
她要每張在春天燦爛的臉，有著華彩天堂般的炫麗。

Dior Addict把天上的星都摘下來，以吻送給你，
在夜晚就屬你的亮度最耀眼，共有十八種魔力光彩供你變換。

Clinique特別找出貴妃草本精華，
讓你的臉蛋看起來像剛從泉裡誕生，晶透無瑕。

MAX FACTOR把唇當成玫瑰花瓣，
需要不同層次的粉嫩，盛開出不同光芒的美豔。

RMK MIX COLORS視你為最有創意的畫家，
交給你一盒精算三色變化的時尚調色盤，
你想以什麼面貌示人，就請動手開始創造吧。

SHISEIDO慕斯狀的眼影，菱鏡般的唇光，
讓你一眨眼、一抿嘴就魅力四射，美得令人目不轉睛。

ESTEE LAUDER不讓粉妝蓋住你的風采，
以SPF25/PA++的新優晶澈亮白粉底，
讓你的肌膚散出自然而好的氣色。

遠東百貨澳洲設計師專櫃

Design 21 Fashion習慣了北半球的思考，
現在我們將視野轉向南半球：
邀請澳洲的設計師在我們的身體上遊戲，
在北回歸線的領地上，實驗我們的新個性：

OLGA BERG很迷戀東方，決定讓彩墨畫中的花鳥，
飛進摩登的白色皮革上，尾隨著我們去逛街。

WAYNE COOPER把日本原宿女孩GROOVY GIRL的糖衣，
在你性感的腰身上，鋪張出粉紅色的新童話故事。

BETSEY JOHNSON把彩亮的花，與飄逸的蕾絲風，
一起移植在迷你裙上，你可以就地招蜂引蝶，
把春天穿著走。

PAL ZILERI把海灘線與光的條紋，延伸到男人的衣衫上，
他要把清涼的浪與野性，展現在有運動感的身形裡。

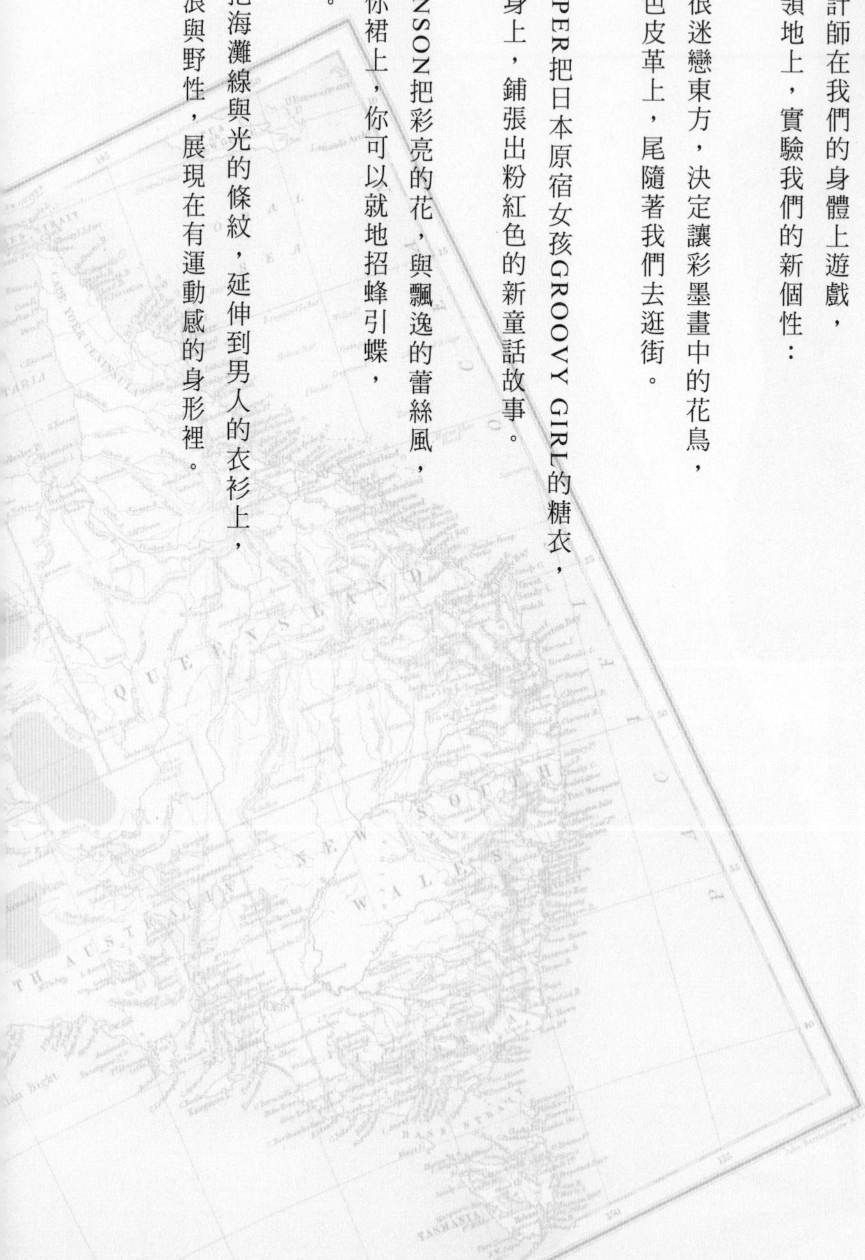

THIRD MILLENNIUM以上衣透明度決定體溫的高低，
ALANNAH HILL以姿態決定裙下的魅力，
JUSTINE TAYLOR以剪裁決定女人走路的樣子，
GAS則以磅秤決定牛仔褲的季節。

這是大遠百專為你引進的：你澳洲籍的私人風格實驗室。

一九九六夏日遊戲

關於遊戲

白天是塞車過不來的馬路。白天是8:30的打卡鐘。
白天是24.5℃的會議室。白天是樣樣急件的文書檔案。
白天是老闆付薪水買的，晚上是自己的。

今年仲夏夜，困在台北水泥森林的人，不必選擇出走，
在敦化南路上，有古典、搖滾、民謠、戲劇和啤酒，
連續十三週週末夜，歡迎所有白天身不由己的天使，夜夜墮落。

遊戲名目：

音樂、啤酒、舞會、戲劇、DJ、演唱會……
Street pub週週都有不同的街頭事件，供你目擊。
請帶著占卜家的天賦隨機應變、逢場作戲。

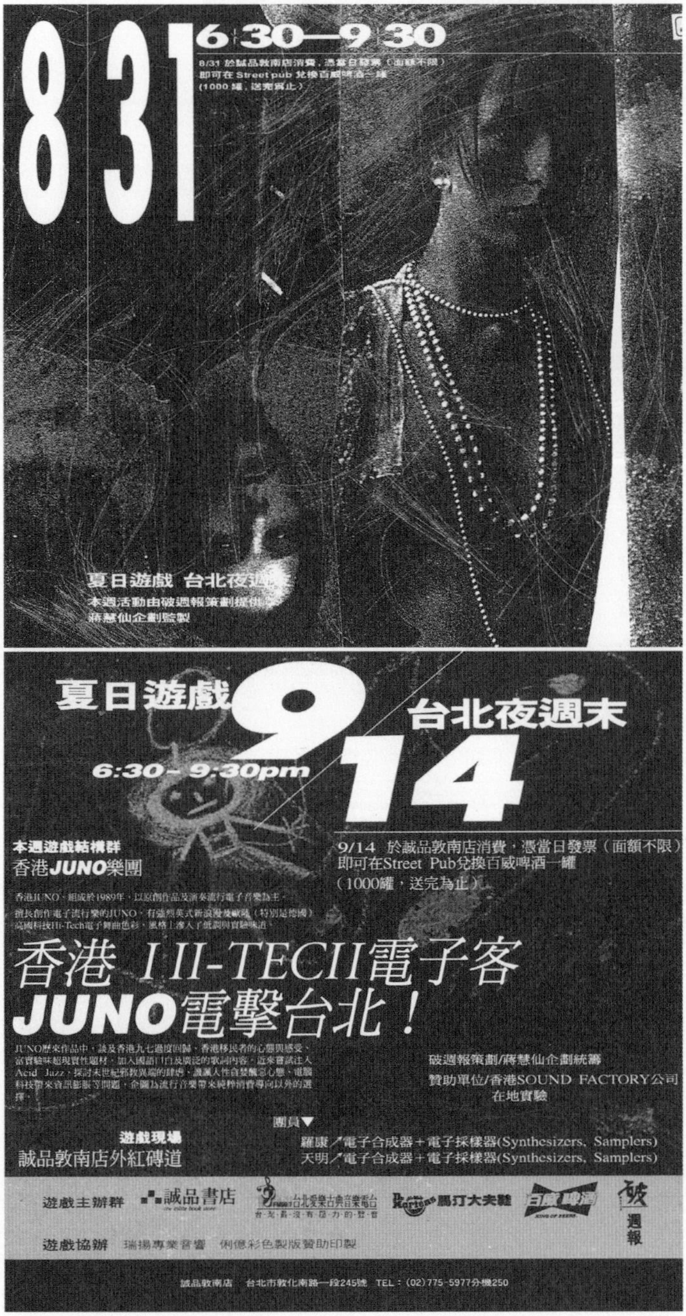

遊戲結構群：

濁水溪公社、糯米團、四三一樂團、ALLEN、沈流、董運昌、雷光夏、彭廣林、「電子馬戲班」的人和「電子馬戲班」的朋友……等精彩演出。

夏日遊戲的聯想

三十九小時仲夏夜遊戲，夜夜夜狂。
架燈延長夜晚的生命力，
全程監看穿冰淇淋色緊身長褲的異議分子，
Rock的舞步在地上全面搜索啤酒釋放的激情。
夜闌人未靜，
請加入我們的黑名單，
所有的失蹤人口，都將集結在誠品的月光下，
我們都保有歡鬧的權利。

關於夏至書店

在溫慶珠的長衫上，灑一滴費太太的西瓜紅。
在waterman筆上，懸著王培浩的貝珠項鍊。
在M. H. Way的皮件上，盛滿冰涼的Frozen Yogurt。
在薔薇宣言的玫瑰花中，澆一些HEDIARD的英國茶。
敦化南路上，請隨身攜帶，眷戀生活的消費特權。

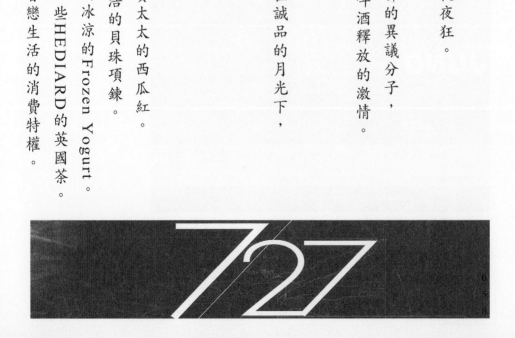

關於感官地圖的文案

普魯斯特在小瑪德琳蛋糕中，
嚐到青澀的童年。
異教徒在一九二〇年份的紅酒中。
發現法式的逸樂。
女人的項鍊，
在甜蜜的咒語中應驗愛情。
New Age的信徒，
下樓尋找有超自然力的健康食譜。
一份自由取悅的感官地圖，
二個樓層的新東區休閒國界，
三十三處自由游走的慾望臨界點。
誠品敦南總店試賣，
六月二十二日至七月二十一日，
環環相「扣」。

關於亞細亞佳，新折衷主義傢飾展

一向迷戀明式傢俱，迷戀明式黃花梨玫瑰椅，
迷戀寧夏手染編織毛毯，迷戀蘇拉威島棉質絞染……
高地的疏離，東方的留白，
這是上個朝代選擇的生活方式。

竹木案頭盒與pen collector古董筆對話，
沙勞越伊班族織布與ARTE & CUOIO手工皮件折衷，
金三角銀飾與Genny & Adam設計飾品呼應，
明式傢俱與LEROY葡萄紅酒調味。

超越工業時代、走出機械文明，
世紀末回歸人文、師法自然的覺醒正開始。

樸拙取代繁複、自由取代規格、古典取代新潮，
溫習文人的原色，尋找材質消失的深度，

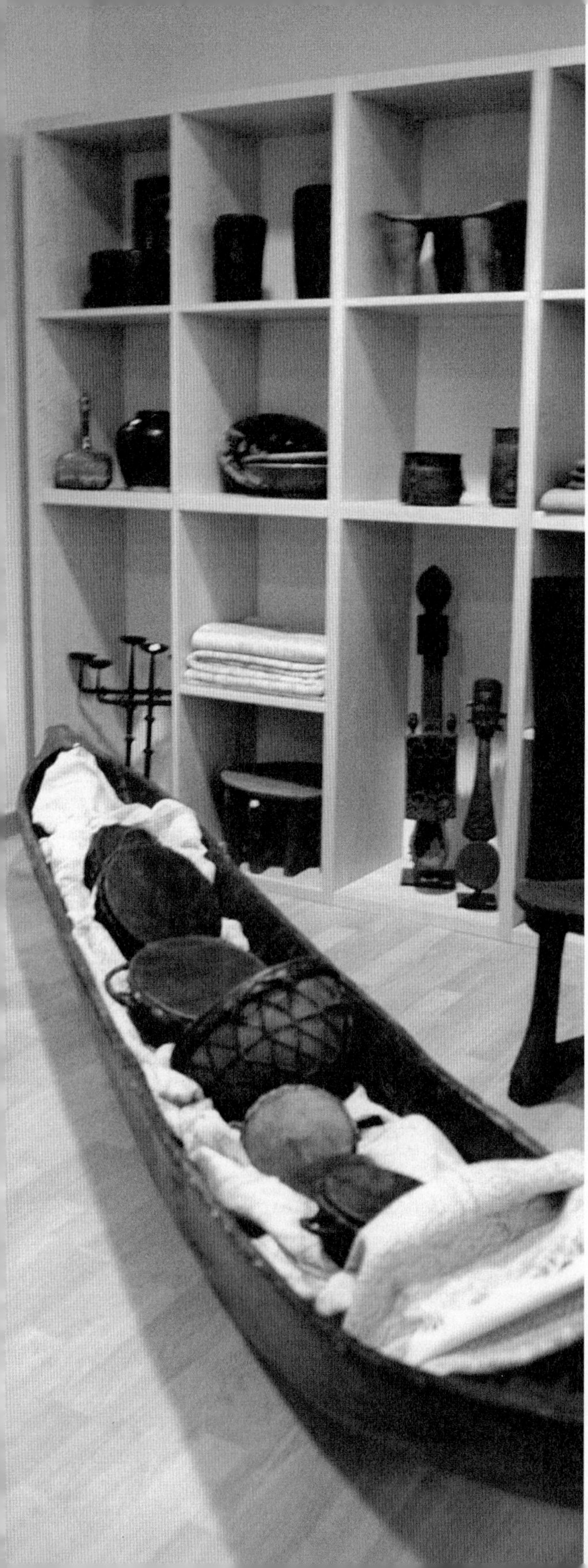

形簡意禪的新東方美學，
在精神荒蕪的都會裡，留一處可以歸隱的田園。

東方V.S.西方的生活傢飾展，
在燥熱的酷暑中清談，中國文人風範再現，

期待與你的生活相知相惜！

搶救童年

BEFORE

米老鼠與加菲貓追逐的童年。
國父在廣東省翠亨村的童年。
魚兒往上游不進則退的童年。
玩具很少、玩伴很多的童年。
大人統治下的童年。

NOW

在安親班培養先知先贏的童年。
不相信天堂，但相信任天堂的童年。
玩具很多、玩伴很少的童年。
四歲開始寫字、六歲開始講英文的童年。

保護瀕臨絕種的快樂兒童，
請你與我們一起搶救童年。

四月四日，關於童年的殘酷物語

巴黎的綠色空間局規定，每誕生一個孩子，就要種一棵樹。

一九九九年是法國男人的世紀末，核電廠超載的輻射劑量，讓女人嚴重貧血、男人嚴重無能。
包括所有的動植物，甚至於外國旅客都停止交配。這是一個不孕的城市。真理教再度興盛。
自殺手冊取代聖經，虛無的死亡成了生之圖騰，所有的人開始信仰來世。

四月四日清晨，一百萬對標準男女，帶著十個會尿床的孩子，到凡爾賽宮接受加冕，
並當眾宣稱，如果活過四歲的孩子，則無條件封王，場面浩大，只滲入極少數的失控。

香榭大道上的樹，在中午焚風之後相繼死亡，大火帶走上萬條人命，帶淚成國，
並下一場酸度極高的驟雨，長養了詩的陰性，佔領了以凱旋門為中心的大半個巴黎的氣味。

預言家用路易十四的草紙測量哀傷的濕度，全城停電，昏鴉的天色，哲學家點一座燭台，
在光亮中讀到很多現實的傷口。於是，所有的詩人以不生育來絕代止痛，並開始宣布精神陸沈。

不停釋放咖啡因的終極主義狂熱，把月亮割傷，血滴在樹的年輪上不再醒來。

唯一倖存的孩子學會痛哭地控訴來世的運命，他還來不及滿月，
所以期待來世會更好的成人老人開始焚詩混血，
用樹液的毒，來調大碗大碗的烈酒，然後宣告禁食，互祭，並虔敬領受。
全巴黎最後一個孩子，在半夜十二點整，被全巴黎市民掛在樹尖，向全世界得意地炫耀著他們的永生。

阿拉丁的現代啟示錄

啟示一
今年夏天，阿拉丁決定帶著新婚的茉莉公主，
到台灣過一個沒有駱駝和仙人掌的暑假。

啟示二
阿拉丁的媽媽，聽說他最近忙著四處鋤奸誅魔後，
茉莉公主從此不再責備阿拉丁，
為什麼每天都這麼晚才回家。

啟示三
阿拉丁發覺三個願望不敷使用，
神燈決定多送一個願望，
給購物袋裝滿欲望的阿拉丁。
今年夏特賣，讓阿拉丁迫不及待，
把全城人的願望，全部用魔毯載回來。

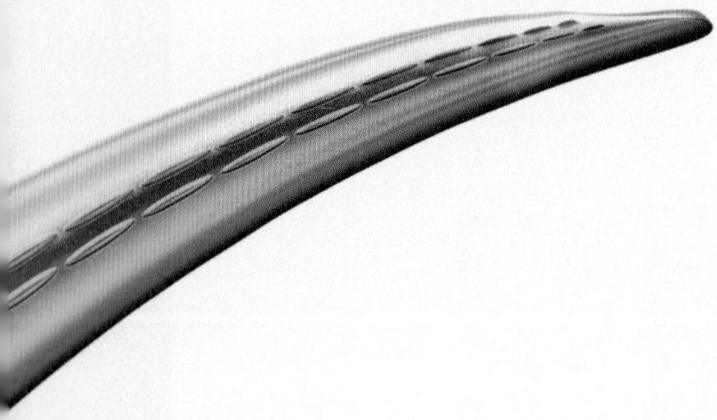

文案之外的詩

慾求不滿的長期挫敗

勾不到床，只好累。
勾不到水，只好渴。
勾不到愛人，只好恨。
勾不到肥皂，只好髒。
勾不到衣服，只好冷。
勾不到藥，只好痛。
勾不到鞋，只好在家。
勾不到梳子，只好散髮。
勾不到毛巾，只好濕。
勾不到口紅，只好蒼白。
勾不到衛生棉，只好流血。
勾不到明天，只好死去。

每個人的生日快樂，都是建築在媽媽的痛苦上

在娘胎裡

第一個月，媽媽不知道我的存在，今天早上還去跑了一圈操場。

第二個月，媽媽終於發現我了，把留了十年的長髮剪掉，因為以後再也沒有時間照顧它了。

第三個月，媽媽到醫院做檢查，回家路上順便報名了胎教補習班。

第四個月，媽媽不再點自己喜歡的麻婆豆腐，而選擇對胎兒有益的人蔘雞湯。

第五個月，媽媽把她的運動健身器和緊身衣收起來，她已經離二十五腰的日子很遠了。

第六個月，媽媽半夜被我新長出來的腳踢醒後，開始跟爸爸討論什麼時候去麗嬰房買鞋的事。

第七個月，媽媽去照超音波，知道我是女孩後，就決定開始訂閱婦女新知。

第八個月，患了產前憂鬱症的媽媽不能吃藥，不能看電影，每天只能跟肚子裡的我說話解悶。

第九個月，為了不讓我一出生就帶防毒面具，媽媽開始變成了注意空氣污染、水源污染、食物污染的環保激進分子。

第十個月，老實說，真不想離開這個溫暖的地方，可惜我只有十個月的居留權。

文案之外的黑色微小說

五月第二個禮拜天，不孕的理由

美國加州海域，哈姆雷特魚，雌雄同體。日落前三十分中進行交配，由兩隻成魚輪流扮雄魚、雌魚各十次，完成陰陽高潮，精疲力盡。

男性戰鬥靴的雄性和金屬項圈的雄性，演成一齣以吉普車及軍用剩餘物資為背景的GAY情事。有人以為我們是知己其實我們是革命情侶。

五月二十日這天的男人，全挺成一條街的站牌，永垂不朽地挺立在地平線上，紀念永遠的雄偉，上面標示來回

中興百貨公司母親節特賣文案之三

江山易改，母性難移

媽媽和我的關係就像師生，
小時候她教我走路，
長大後換我教她忠孝東路怎麼走。

《上班族・二十五歲》

媽媽和我的關係就像姐妹，
我老是要忙著幫她適應我的新男朋友。

《高中生・十六歲》

媽媽和我的關係就像勞資雙方，
我給她的報酬，永遠趕不上對她心力的剝削。

《小葉・三十歲》

媽媽和我的關係就像醫生和病人，
她老是覺得我的營養不良，
雖然我已經七十公斤了。

《隱名男子・四十二歲》

我都已經有兩個孩子了，
媽媽還是江山易改，母性難移。

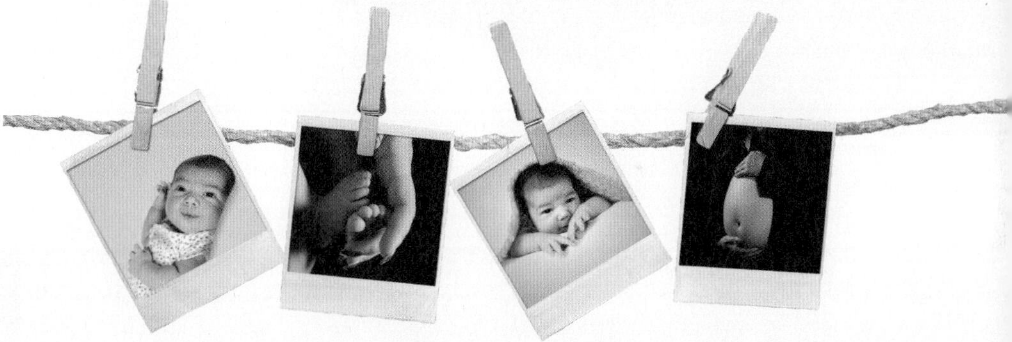

一趟所需的時間，並寫滿了一長串過去及未來想穿行的下車地點。

流浪者渴望一座乾淨的城市，黑人祈求一座沒有色彩的城市，女人渴求一座沒有暴力的城市。

我們決定在二十八歲領養第一個孩子，直到他能成功地發展出第二性徵為止。

一九九八・現代端午考

端午節粽子的精神
在微波爐中發揚光大。
一天十幾班的龍舟過站不停，
老把屈原留在江中
忘了帶上岸。
雄黃酒自從
讓白素貞變回蛇形後，
許仙決定
讓白素貞改喝啤酒。
屈原把離騷放進郵筒中
寄給楚懷王，
並貼上郵票，
提醒他端午節時
務必買束菖蒲好過節……。

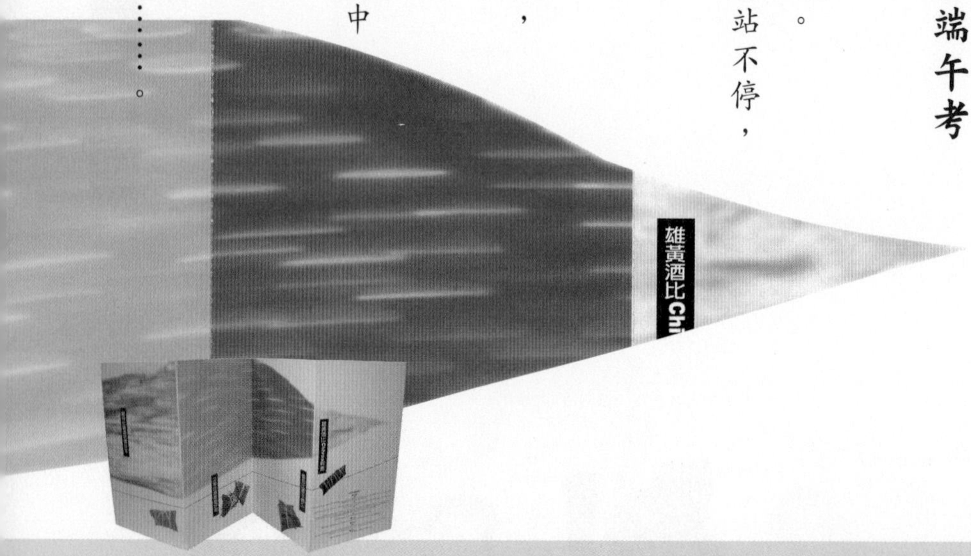

文案之前・狂想屈原

五月初五，端午降奴記

漢軍軍侯管敢，因擔任斥侯時不夠認真，而被校尉成安侯韓延年當著眾人面前責罵，並當廷鞭打處罰。再加上前些日子在溪間被處決的女子中，有一個是他的妻子，更促成他降奴的心意。

五月初五。子時，28℃天氣漸鹹。那晚他夢到了百年前不願死在不完美的倒影中、開始潔癖地染上自我磨折快感的三閭大夫，和因酒醉而一度失傳的中國。

管敢問，流浪在死亡空間比自裁更有活著的感覺？三閭大夫回答，當事物變遷遠超過自我墮落的速度，他和其他四十九位詩人絕望地拒絕再活過來。然後，夢境在泡沫狀的理想中，在汨羅江裡沈浮破滅，水

百貨公司端午節
特賣文案小卡片

端午節
存在之必要

粽子比壽司好吃。
龍舟比鐵達尼號安全。
艾草比捕蚊燈好用。
香包比香水持久。
雄黃酒比Chivas刺激。

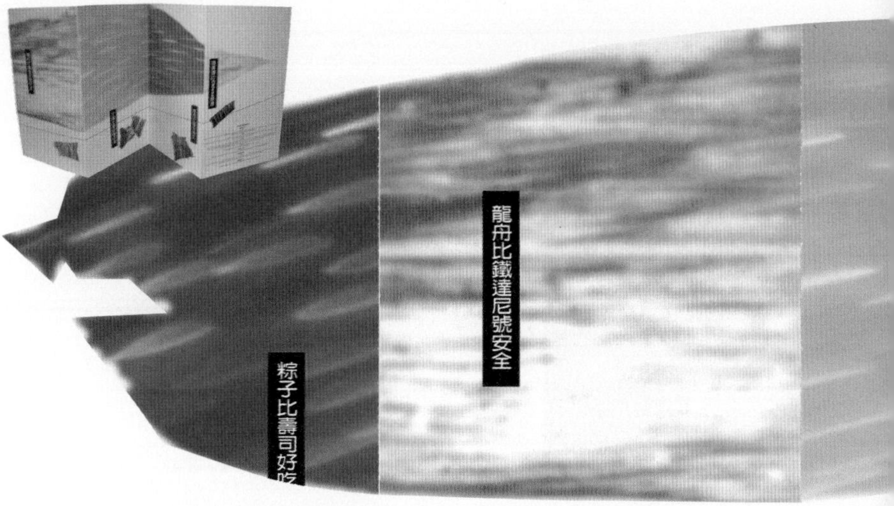

大刺刺地淹沒了臨岸數以萬計的哀哀蒼民，屈原潛回水裡化做自由的魚，與另一條女魚相濡以沫。

粽子都被這些水底貪生怕死的冤魂，和湘女分食飽餐終日，屈原則削瘦地在農曆五月初五，完成公民選舉，成立另一個新國度。傷殘的詩，孤弱地被遺棄在開國酒宴杯盤狼藉的角落，過度豐腴導致腐爛，並傳染腥濁。四十九位詩人被空間綁著，用菖蒲葉吊在歷史上，無人再誦讀他們的詩。

酉時，34℃足夠喝完四瓶雄黃酒，看完一部離騷，和決定一生。當管敢在離騷第十二篇第三十四句中，發現屈原的真正死因是，他心愛的女子簡狄拒絕了屈原的求婚而下嫁給高辛氏，更加堅定他降奴的心意。

所有的人一到六月，都要換一個新身分

丁丑六月，驛馬星移，紅鸞星動。

好不容易出生。
好不容易畢業。
好不容易結婚。
好不容易搬家。

終於找到新學校。
終於找到新工作。
終於找到新戀情。

文案之外的黑色創作

一個城市誕生 新身分的形成

當M87巨大黑洞的無線電波，嚴重干擾太陽系導致能量錯亂，各星球失序撞擊。當月球離奇消失，土壤大量失水，地震頻傳。當亡者開始念著活著的人，當所有的房屋都染上了輻射，當所有的海砂路橋開始崩潰，當最後一個處女宣布出家，從此沒有了性別之爭，私生兒開始合法。

舊的城市從此不孕，新的城市，誕生有望。

黑人祈求一座和平的城市，工人冀望一座無政府的城市，學生想望一座放假的城市。4／5長時間抑鬱的人種，在六月六日清晨六點，同時夢見一個女神誕生在β城，大家分頭追趕，十分鐘後目標體越牆消失。

所有的人一到六月，
都要換一個新身分。

五月二十九日—六月二十八日，
誠品商場全面開啟你的個人新檔：
穿一件新形象，
喝一杯新口味，
戴一頂新頭銜，
換一身新膚色，
六月以後一切reset，
從誠品開始，
您的新生活。

不同時序醒來的這些人失去手紋，所有關於舊城市及命運的紀錄全數銷毀，他們再度尋找記憶中唯一活著的那個女神，但他們只遇見彼此。於是他們決定依夢境重建β城，外圍不設限任何牆面，如此一來，她便無法精確的逃出β城的領域。

β城的街道配置，存在每個人的意念中，有些路只走過一次後就永遠消失，像是鳥的飛行航道。女神尚未出現。很多東西還沒有名字，想像力無限延伸β城每個部分的幾何骨架。所有職業全部從缺，無需經過第二人的同意，自由選擇生產方式，工作極其簡單，只是採集然後發送而已。

β城完全沒有制約力，可以裸體，所有人都是高齡嬰兒。

β城是屬於活人、以及尚未出生的人，沒有人年過四〇，沒有人死亡。

暑假・放暑價

和電腦拒不見面，
躲開行動電話的日夜糾纏，
遣散壓力，讓野心失業，
和所有人按下OFF，消失一陣子，
一天不努力，也沒什麼大不了。

脫下書包、領帶、人情、
高跟鞋、業績、難看的氣色，
和食不知味的朝九晚五，
和法國人一樣，花三小時喝個下午茶，
向時間偷一點生命回來。

不跟地球一樣忙著自轉，
在加長的日光下，找到自己的TEMPO—

・誠品商場・・・

全面放暑假

和電腦拒不見面，躲開行動電話的日夜糾纏，遣散壓力，讓野心失業，
和所有人按下OFF，消失一陣子，一天不努力，也沒什麼大不了。

脫下書包、領帶、人情、高跟鞋、業績、難看的氣色，和食不知味的朝九晚五，
和法國人那樣，花3小時喝個下午茶，向時間偷一點生命回來。

不跟地球一樣忙著自轉，在加長的日光下找到自己的TEMPO—
誠品商場提供煩燥的城市人，最近距離的心情避暑勝地—

誠品商場提供煩燥的城市人，
最近距離的心情避暑勝地。
SUMMER'S DAY OFF
SUMMER'S DAY OFF
SUMMER'S DAY OFF
Second Ave.
Third Ave.
eslite誠品商場

關於送禮的又一章

期待一本全新的日記，
謝謝自己熬過萬念俱灰、心碎買醉的日子。
期待一隻快樂的鋼筆，
謝謝孩子平安度過夜夜提神、日日煎熬的聯考。
期待一只忠實的手錶，
謝謝情人時時陪伴、追隨焦慮、憂傷或忘情的每一天。
期待一張手製的感謝卡，
謝謝員工夜以繼日、拋妻棄子地加班。

沒有節慶的七月，沒有公開送禮的理由，
誠品敦南店提供每一位想找藉口額外感謝的人，
一個「祕密佈局驚喜」的籌備處。

泳裝集體搶灘事件

〔事件一〕天體營一直找不到合適的地點，準備一件最招搖的泳衣是天經地義的事。

〔事件二〕一名異國女子獨自親暱、糾纏，據說她和繾綣的海之間，僅僅隔著一件薄薄的泳衣……

〔事件三〕以極少的布面不斷複製豹紋的魅力，一身古銅色肌膚的野悍男子，以最原始的笑容招惹沿岸。

〔事件四〕太陽在裸背上留下細細的空白，海邊沙灘上晾著一件鹹濕的泳衣未乾。

文案之外的詩呢喃

泳衣的BIG BLUE BROCHURE

北緯25°。東經121°。吞鹽的水。
特別停留（二十九秒）。重量不足的早晨。
沒有特權的緊身衣（二十三吋）。
有一瓶很小的防曬油（防曬係數三十八）。
水來來回回。
自閉。光很變態。有線條的背部。無所事事的救生員。
我愛你，我得不到你。溺水的潛意識。
泳衣在星期四前洗好已成定局。

七夕的愛情經濟學

平時省吃儉用的愛情狂熱分子，
終於買下一條比存在主義更真實的、七〇年代反戰十字項圈。
對西西里永遠忠誠的女人，
終於奇蹟式地找到一件、折扣多一些、圖樣少一些的魚網式背心。
夢映在玻璃櫥窗的倒影中，情人節有九九九朵玫瑰式的消費倫理。
關於經濟學中的勞動價值論、不完全競爭論、壟斷競爭論、
剩餘價值論、收支調節論、邊際效用理論……，
在七月七日當天，一定要全部學會。

感情的養成與存在最盛期

是節日，今天，關於情人。很多人買花，排隊，消費昂貴。有點想哭。身旁一堆不相干的人，過同樣的日子。七夕，女人溫柔男人，男人在笑。剛雄的稜角組合這都市。堅持維持高速沸騰的台北，準備跳一整夜的舞。車很多。很兇，像男人。夢映在玻璃倒映中，招魂。我一點也不流行。一年沒和自己見面。陌生。在基隆路的一家店裡，說話，不知跟誰。遊走巷衢，找自己，關於熟悉的那部分。信義路上懸著一盒盒的街、時間。詩人被空間綁著，吊在馬路上。

什麼是文化？風好像要變。我要去旅行，身體不去。四歲的靈魂愛吃糖。

我一點也不王者，但是是獅子座的，我仍能感覺風。我想我會變成一隻陽鳥。有些地方不需要英雄，但我要學會愛自己。他×的。我一點也不想知道什麼是六次元向量水平思考的托魯克那恩桑斯的非整合性孤立式錯亂。我愛誠品，冷，而且神性。

在日光房裡，有書，有靈魂。時間久而熱，我很小，其他人很大。想像追逐五官而下，把希望縮在形下裡。女人可以不壞，只要你是神。風停了，聞到水的氣味。最近的人都不甜，而且無味。再忍受自己五分鐘，只要五分鐘就好。美麗的不是自己，只有情人節的花。

情人節，有沒有情人並不重要，只要不粗暴，你一樣溫柔，花是錢，不是愛，你要弄清楚。把一整盒情人糖吃光，會長大的，我四歲的靈魂。

除了懷胎十月，他做的不比媽媽少

愚公把兩座大山移開，他的兒子們從此不必再繞路上學。

后羿射日，不忘留一顆太陽給孩子們取暖。

佛洛伊德想從孩子的睡姿，猜出他們渴望的生日禮物，所以完成《夢的解析》。

為了響應「爸爸回家吃晚飯」，薛西弗斯把石頭擺好，回家過父親節。

八月八日，中年尊嚴之必要

失血的情人，在敦化南路上的圓環徘徊，
拖了整整一圈的憂傷，向路人要十塊錢，坐明天就要罷駛的末班公車回家。

他的憤怒塞在漲價後又尖峰加成的計程車內，困在仁愛路口過不來。
一個女人從誠品畫廊的畫中走出來，抱著只有信用卡才買得到長頸鹿順利過街。

他想起那張永遠只有四歲的臉，褪在張毅一直落雨的健康幼稚園紀念影片中，而記不起所有的喪心病狂的慘白。

玩具反斗城的紙袋裡，夾藏一個印滿頭銜的名片盒。他到巷口蹲著吃一碗牛肉湯麵，自己慶祝沒有人再喊他爸爸的父親節。完整的一千元，謝謝老闆，找回破碎的伍佰、壹佰、伍拾、和一些零頭。零頭不再是零用錢，他孤獨地花著，頂多打一通三分鐘自動斷線的廉價公用電話，對方是他二十五年前認識、十年前結婚、一年前喪子、上個月離婚、仍保有兒子一半基因的前妻。她說今天是父親節，應該帶兒子去動物園，免得孩子只記得爸爸穿西裝、打領帶的樣子，其實她忘了，那天兒子的告別式，他是穿一件POLO的黑色休閒衫，和一雙素淨的白球鞋，因為他答應兒子一定教他成為棒球國手。

二十五歲的狂傲縱慾。三〇歲安家立業。四〇歲喪子、失婚，過著有性沒有愛的日子。五〇歲注定沒愛也沒性，導致無能的他，是一個已經結紮不再有他的姓、他的孩子、他的親骨肉、他的老年、和他未來數十個父親節要過，他是一個女性的男子。

他開始同情所有起因於人的所有絕種生物。

秋

氣溫是善變的，情緒是善變的。

女人是善變的，色彩是善變的。

食慾是善變的，口味是善變的。

愛情是善變的，關係是善變的。

流行一樣是不忠的，秋一樣是善變的。

忠誠路上．秋是善變的

點了麵想改吃江浙菜。
咖啡來了，其實想要的是冰桔茶。
裙長為了流行老是朝令夕改。
心情變了，連手紋都轉向。
頭髮長長短短見異思遷。
萬聖節隔著面具可以六親不認。
軍大衣今年改為女性授階。
GUESS決定不和舊習慣妥協。
鳥走失了，改養一隻Teddy Bear。
Esprit說下件衣服會更好。

天母忠誠路上．秋善變．人心思變。
誠品忠誠店，全館秋品隨機應變，
秋意新鮮特賣中。

關於善變與忠誠

大家都在算2+2=4
如果換成4=2×2
結果雖然一樣，但可能性變大了。

氣溫是善變的，情緒是善變的。
女人是善變的，色彩是善變的。
食慾是善變的，口味是善變的。
愛情是善變的，關係是善變的。

誠品忠誠店要秋特賣，談的是忠與不忠：
在「忠誠」路上，
流行一樣是不忠的，秋一樣是善變的。

沒有回報，總被錯怪不忠，
老是一見鐘情，所以總是善變。
多事之秋、世事多變，所以人心思變。
後來這篇文案，因某「變」故而未能上市，
所以在此「棄」圖變身復活。

秋之雙饗．富可敵國

太陽南移，日照漸短，
候鳥開始轉向，
在各地旅行的人一一回國。

你可以繼續吃加蛋雪花冰，也可以開始吃麻辣鍋。
妳仍獲准穿膝上貼身迷你裙，但可以開始穿咖啡色鱷皮短靴。
不必脫掉淺橄欖無袖背心，不過可以開始披上針織毛衣。

這是一個最接近普羅旺斯的季節。

保留夏天放肆的權利，往來秋色的詩意，
跨時令的雙重享受，
在誠品的每一個人，都可以富可敵國地，享受雙倍資產的季節——。

準備上學，準備還願，準備變長的夜生活，準備新體溫
準備新時令菜單，準備新妝扮，準備新花種，

準備一個耐寒的木本情人，

準備好對待別人的新方式⋯⋯。

文案之外的黑色詩

帶酒逃亡的秋

天氣：驟雨。十分鐘。像刀切過一樣地結束。

雄性的日子。溫柔的秋。這世界是男人的。耶穌和釋迦。
男人是我的。不是我的。我是夢的。夢帶酒逃亡。
女人在休肝日旅行的尺寸一律是XL。有著熱帶性的低價格。並具攻擊性。

用A面的臉去談愛。用B面倒帶回去夢。夢到不甜的世界甜甜的人。
甜甜的人跳過自己黏瘩瘩的影子，背著重重的家，
向一個失婚的男人求愛。酒醉後，男人哭成高齡嬰兒，酒精濃度等於零。

這朵莫斯科的玫瑰，在巴黎開成滿眼的野薑，
那個被求愛的人，騎著腳踏車，壓過野薑去追年輕初戀的那個晚上。
月亮默默地給著夜晚，沒有一個是他要的。

地球越來越需要一個可以投奔的地方

地球的煩惱越多，每到夜晚一不開心，
就越需要一個可以投奔的地方，
依賴久了，就更不能失去月亮。

中秋節那天，以浪漫的緣故請半天假，
找一個情緒的地方，換一種團圓的坐姿，
用尺丈量她的最大極限，用眼神排練她一晚的行蹤，
用想像力揣測她的神話、她的緋聞；用身體感受她的潮汐……。

為了另一種荷爾蒙的刺激，這次要從落日看到月出，
以輿論證明，秋天真的來了。

在這個月演月烈的中秋節之前，
找到一個離家、離星星都近的奔月地方，逃走……

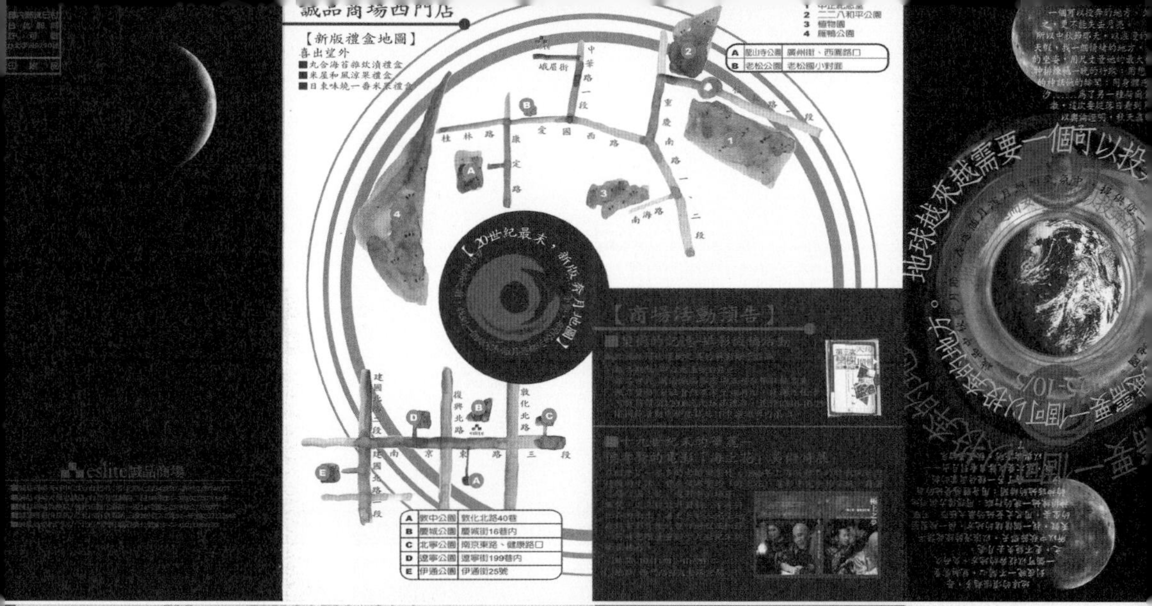

誠品商場西門店
【新版禮盒地圖】
喜出望外
丸合海苔雜炊漬禮盒
米屋和風涼果禮盒
日東味燒一番米果禮盒
【20世紀最末，新版奔月地圖】
【商場活動預告】
地球越來越需要一個可以投奔的地方。
A 敦中公園 敦化北路40巷
B 慶城公園 慶城街16巷內
C 北寧公園 南京東路、健康路口
D 遼寧公園 遼寧街199巷內
E 伊通公園 伊通街25號
A 龍山寺公園 廣州街、西園路口
B 老松公園 老松國小對面
2 二二八和平公園
3 植物園
4 龍觀公園
eslite誠品商場

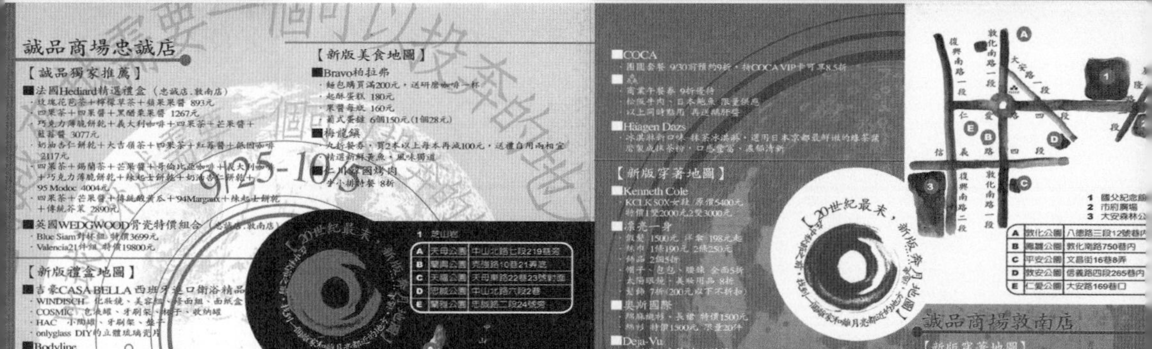

誠品商場忠誠店
【誠品獨家推薦】
法國Hediard精選禮盒
英國WEDGWOOD骨瓷特價組合
【新版禮盒地圖】
吉家CASA BELLA西班牙進口衛浴精品
Bodyline
晶瓷堂
意象形軒
AVEDA
小玩童
Häagen Dazs
　中秋節冰淇淋月餅組 東方傳統、西方素材、純手工匠造。包裝精緻，送禮自用兩相宜
【新版美食地圖】
Bravo柏拉弗
梅龍鎮
9/25-10/5
A 天母公園 中山北路七段219巷旁
B 蘭興公園 天母東路6號
C 天福公園 天母東路22巷23號對面
D 忠誠公園 中山北路六段2巷
E 蘭雅公園 忠誠路二段24號旁
1 芝山岩
COCA
Häagen Dazs
【新版穿著地圖】
Kenneth Cole
Deja-Vu
Mandy's
【新版家居地圖】
JUNIS生活編輯
H₂O
野地的花
【20世紀最末，新版奔月地圖】
A 敦化公園 八德路三段12號巷內
B 興雅公園 敦化南路750巷內
C 平安公園 文昌街16巷8弄
D 敦安公園 信義路四段265巷內
E 仁愛公園 大安路169巷口
1 國父紀念館
2 市府廣場
3 大安森林公園
誠品商場敦南店
【新版穿著地圖】
KARST
【新版家居地圖】
【新版禮盒地圖】
Bodyline
喜出望外

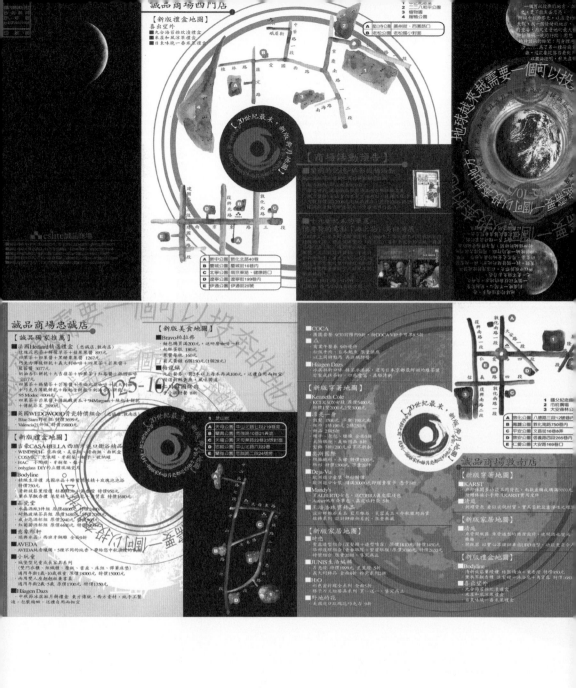

月亮升到神話的高度，開始演奏

第一首夢

在攝氏34℃的街上。一個小孩意外聽到了廣播，看不到爸媽。在5:31分看到5:30分的車正開走。他走失在又熱又濕的空間裡。老師責怪小孩背叛夢的邏輯。她送他一隻醜聞的鞋子做為懲罰。

小孩是男人，教書的是老師也是女人。

第二首夢

醫生情人用手術刀切生牛排，著手術衣烹飪，上面有殺魚的血，有人懷疑他有殺妻的陰謀。

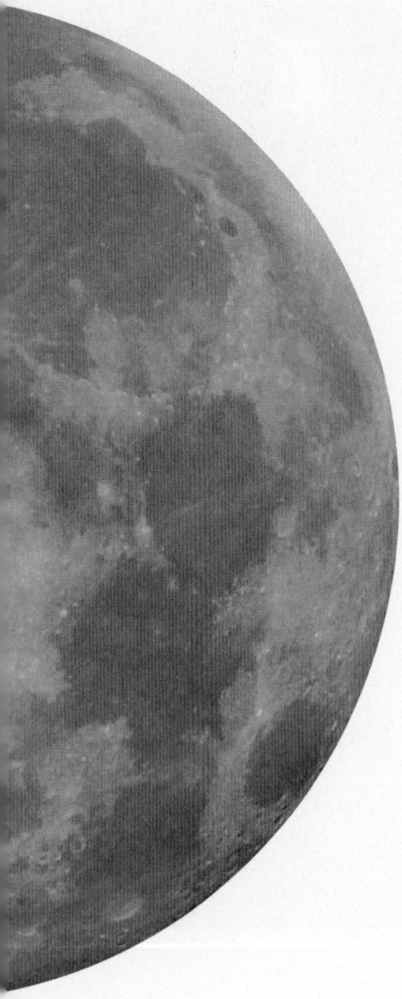

第三首夢

空白。連個樓梯也沒夢見。

第四首夢

在教科書關於兩個女人墮落成一個健康男子，收養了一棵樹做兒子的歷史故事。
她們跌錯國家記錯方向，不幸染上輻射。這一段教科書省略。

第五首夢

一個小孩被罰站，手貼著牆，數時間。其他人不忍看，同樣在倒數日子，接近老年，哀樂老年，
有一個老人在談男女的事。在公園，像是在茶館。

第六首夢

三女囚借北斗七星越獄成功，七天後被人發現全身赤裸橫在沙礫地上，其中一個剛滿二十三歲，
安詳而憂傷，報上誤載成三名帶罪的妓女。

天母第三次欒樹情報

在森林絕跡，綠色逐漸消失的城市，
天母用一整條的欒樹道，
家家戶戶用窗前的盆栽、空中的花園、一樓的園藝、
手中的花束、櫥窗中的玫瑰……
光復天母的綠意盎然。

忠誠路上，一千六百棵欒樹的距離，
恰好串聯兩座公園，準時出爐的麵包店，沿路招客的啤酒屋，
老是塞車的高島屋。

一家留大面窗看樹、看Shopping的誠品忠誠店，
也連接了人與人的距離。
很少打交道的天母人，選舉的時候，

在欒樹上懸掛起自己的主張。
很愛逛街的天母人，
冷氣房出來就靠欒樹林森呼吸。
提早放學的小孩，
最先被這排欒樹接走……。
除了房子愈來愈多，流行總是優先抵達的幸運外，
天母人還保有看欒樹長大，變化的幸福。
就像秋天讓京都一夕楓紅，
忠誠路因為欒樹，
一下子所有的人和天母，都染成了很舒服的酒紅。
天母第三屆欒樹節，十月國慶日～光復節為止。

天母欒樹地圖

天母名人買名車的地方

沿路很多房屋仲介公司

可以買到滑步機的電視購物頻道店

準時出爐的麵包店

這裡還有一座公園，小心撞到電動娃娃車

每件四十九元起的路邊量販店

有新鮮螃蟹出售的菜市場

一些台灣人比日本人多的日本料理店

很有氣氛的露天餐廳

留大面窗看樹、shopping的誠品忠誠店

增加天母異國風味的日僑、美國學校

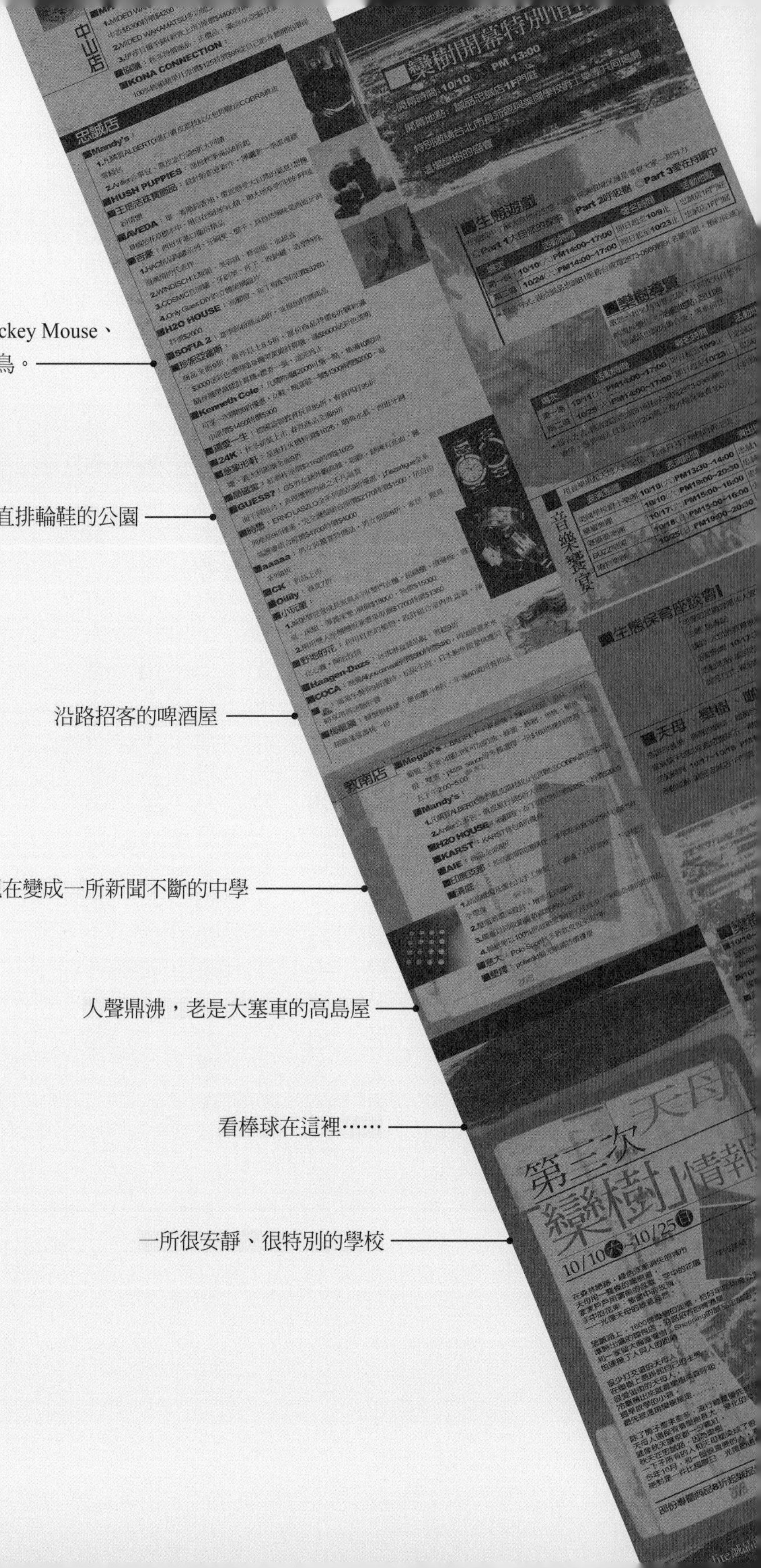

有人會在路邊賣燈、Mickey Mouse、招財貓、或是一籠籠的鳥。

有噴泉、有直排輪鞋的公園

沿路招客的啤酒屋

以前是稻田，現在變成一所新聞不斷的中學

人聲鼎沸，老是大塞車的高島屋

看棒球在這裡……

一所很安靜、很特別的學校

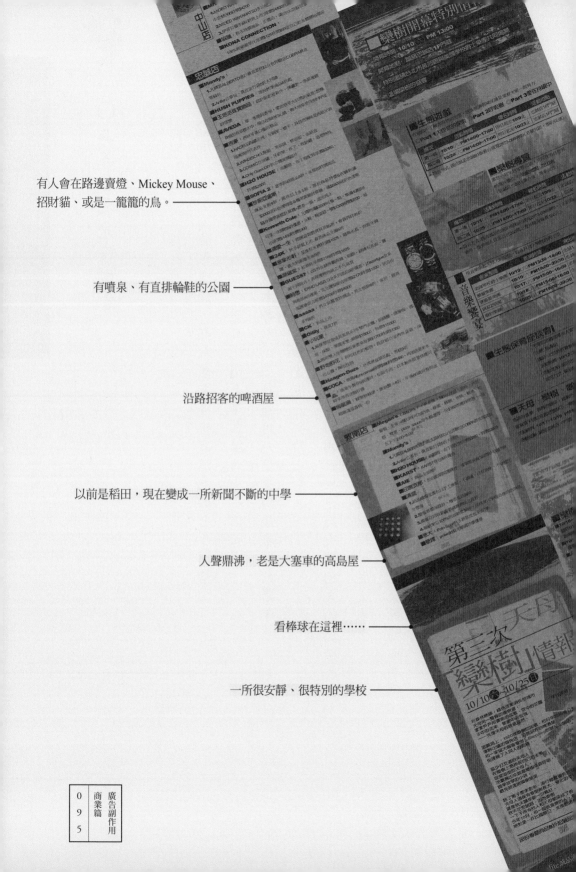

一〇二五秋之光復宣言

◎用一條手工的銀項鍊，有希望光復略有涼意的七年戀情。
◎向日葵普照的領帶，逐日光復大量蕭條的中年信心。
◎二百五十毫升的檀木香水，三秒鐘內光復爭辯後房間的清淨。
◎滿桌的生啤酒，連夜光復畢業後五年的交情。
◎膝上十五公分的貼身皮裙，在眾人的側目中光復失戀已久的慾望。
◎用便宜兩成的預算，以速度光復一件在上個月錯過的秋大衣。
◎藉著秋天的藉口，從身不由己的城市，光復自己淪陷已久的隨心所欲。
◎一〇二五，一個屬於你和誠品的秋天光復節，誠品。
◎西門店、板橋店全館八折優惠價，光復你對秋天的所有欲望。

【壹零貳伍】

誠品商場西門店・板橋店

全館捌折優惠價

光復你對秋天的所有慾望

台北行

秋之光復宣言

一條手工的銀項鍊，有希望光復[illegible]的七年戀情。
向日葵普照的領帶，逐日光復大量蕭條的中年心情。
二百五十毫升的檀木香水，三秒鐘內光復爭辯後房間的清靜。
滿桌的生啤酒，連夜光復畢業後五年的友情。
膝上十五公分的貼身皮裙，在眾人的側目中光復失戀已久的慾望。
用便宜兩成的預算，以速度光復一件在上個月錯過的秋大衣。
藉著秋天的藉口，從身不由己的城市，
光復自己淪陷已久的隨心所欲。
壹零貳伍，一個屬於你和誠品的秋天光復節。

十月二十二日至十月二十五日

【提早貳天預習光復節】十月二十日(二)、二十一日(三)卡友預購日

青春光復戰役

他的身體器官運作得不夠快，有時則因為危險不忍對他做太多的要求。他生病，常常和隔壁的老人一起去看醫生。他憂鬱但不害怕死亡。大四那年他理了光頭。別人以為他要拚進研究所，直到他穿起袈裟為止。她憂鬱也不害怕死亡，她吃素與宗教無關。他不准她陪著長期苦修，因為她體力不繼。去年七月酷暑他入關。她送他一條毛巾。他把毛巾分成了幾塊。用一大塊做了一個：把整個頭部都包得起來的大帽子；又用一塊做了一雙鞋；又用一塊做了二十一個套子，把十個手指、腳趾及私處套了起來。密勒日巴尊者如此，他也是。

今年一月他再次入關。這次為期一年的自囚，誰也沒張揚出去，她在外護關，一點也不浪漫。除了吃的、睡的、拉的外，他什麼都不必做，也沒得做；沒書報雜誌可讀、沒有紙筆可寫、沒有電視可看、沒有收音機可聽、沒有人可講話。他要看，只有看牆上的斑痕和地上的木紋；要寫，只能用手指在空中比畫；要聽，就只能聽樓上走動的足音、及老鼠亂竄的聲響；要講，只有朝天花板怒吼；要玩，只有拿自己身體的每一根每一節來耍玩……。

他不知道自己身上哪一部分才是真正的自己。他拆掉身上所有的布套，讓自己更看得清楚自己。幻影是歇斯底里的昇華，他開始做一串又一串的夢，直到夢到自己逃出獄吏的毒刑拷打，變成一個乾淨的女人死在荒地裡為止。

他打開門召喚守坐半年削弱的她。
路人從四方奔來。
他們預感事後自己舌上的汗或血的鮮味。
就這樣，他們倆裸著全身，
捏握著利刃，對立於廣漠的曠野之上。
他們倆將要擁抱，
將要殺戮，將要進行一場青春光復戰役。

冬

一年的尾聲，開始想念起很多東西。
想念十多年沒見的老朋友，想念轉角那家麵攤的老師傅，
想念在夢裡徘徊不去的老口味，想念風景明信片裡的老街風情。

低溫低價・冬季採買計畫

索羅斯對一件日式長風衣，採取投機性的內線交易。
女會計師和姐妹淘們，對湖綠錦緞外套配淺橄欖色的長裙交叉持股。
外匯首席交易員趁歐元上市的蜜月期，
加碼買進義大利小牛皮靴作為美麗的強勢貨幣。
法人選中三檔流行黑馬股，
趁打折連續三天回補，個人形象翻空收紅。

政府為了振興經濟景氣，在皮裙低檔時作多護盤，
外資則持續對基本面良好的冬季保濕保養品追加信心。
盛傳有人對心儀已久的喀什米爾羊毛衫，
以半價之譜違約交割一事，
您可以到全省六家誠品商場去打聽。

新華麗復古風潮

二〇〇四秋冬，從大遠百開始，吹起新華麗復古風潮

復古，就是最大的奢華！

一年的尾聲，開始想念起很多東西。
想念十多年沒見的老朋友，想念轉角那家麵攤的老師傅，
想念在夢裡徘徊不去的老口味，想念風景明信片裡的老街風情。

想念，是時間給我們最美的特權，
復古，是時代給我們最大的奢華。

大遠百新華麗復古風潮，
把過去整個年代最美好的經典，
一次帶回到今年的秋冬。

就讓我們披上一件古意的上海棉襖，戴上一頂貝蕾帽，
穿一雙七〇年代的印花楔形鞋，
在櫥窗前，溫存起所有的榮華富貴。

高雄遠東百貨改裝篇

今年秋冬，南台灣最大規模的流行豐收季

GIANFRANCO FERRE以鋼骨在身體上建築風格。

PLEATS PLEASE以皺褶在身體與衣服邊界，留著雲與風的空間。

ROBERTA CAVALLI以最有想像力的衣服來慶祝生命。

EXTE將未來的太空科技及神秘主義，提前帶到現在來試穿。

所有最新的流行概念，

自設計師的藍圖走出之後，

就同步在米蘭、東京、紐約、北京、香港、臺北、高雄現身。

這是二〇〇四年秋冬，南臺灣最令人雀躍的流行豐收季。

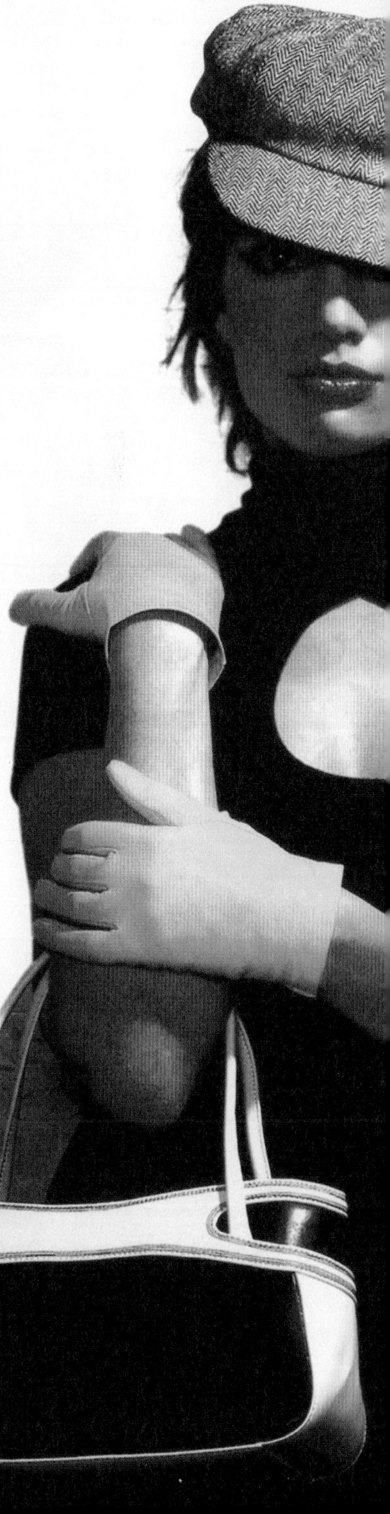

精彩轉移澳義的流行政權，華麗復辟！

自澳洲引進Design 21 Fashion之後，
性感的WAYNE COOPER、
華麗的THIRD MILLENNIUM、
古典的Justine Taylor Made、
頑皮的Alannah Hill，
把整個大遠百玩得天翻地覆，目不暇給。

今年秋冬
不甘寂寞的大遠百繼續轉向義大利，
野性的Exté、
濃烈的Gianfranco Ferre、
尖叫的Just Cavalli、
慾望的Costume National，
讓這裡的流行更血脈賁張。

澳洲的創意，義大利的活力，
兩國混血的穿法，
讓大遠百今年歲末的風格，
更令人興奮不已！

時尚服飾篇

把過去時代種種的華麗，在手中把玩起我們自己的風格！

流行的生命越來越短，所以輪迴的速度就變快了。

把十八世紀風格的假釦、四〇年代的蕾絲、五〇年代的線條、六〇年代的格子、七〇年代的鍛帶、八〇年代的牛仔……全拿到今年秋冬來一次想念。

用完第凡內早餐、看完北非諜影，讓我們開始玩吧：把記憶中的奢華，放在超現實主義的童話剪裁裡。

流行配件篇

把舊時尚的永恆經典，
放在新時代的遊戲中解構，做一場漂亮的蒙太奇處理。

今年秋冬的復古風，
讓奧黛莉赫本、Mick Jagger、詹姆士龐德……全都復活了，
在大遠百的無國界、無時代分野的流行版塊上，
一次溫習
搖滾歌手的反叛、龐克的頹廢、莊園貴族的華麗。

科技的腳步越快，我們就越需要一個不變的美麗。

戴上有魔力的粉水經改變愛情磁場，
戴上吸血鬼駭怕的土耳其藍十字架驅邪，
戴上萊姆綠蝴蝶與紫羅蘭花祈福，
戴上七彩的情愛話語治療失眠。

賈桂琳甘迺迪的華麗珠寶，與有靈氣的水晶玉石藝起流行，
有了這些美麗魅惑的行頭，
今年秋冬所許的心願，將奇蹟式地一一實現。

化妝保養篇

對自己奢侈，
今年秋冬的超現實華麗！

以光采讓五官輪廓更立體。
以魔法讓睫毛超現實增長一五〇%。
以誘惑讓熱烈在唇吻之間久留八小時。
以水果炫光讓臉蛋有了新鮮的好氣色。
以金龜子的絢麗晶燦，點亮了秋冬。
今年很適合幫自己做最大膽的改變。

大遠百各頂級化妝品專櫃，
都已經準備好所有超現實的華麗陣仗，
讓你的美豔，心誠則靈！

生活香氛篇

大遠百香芬特區，將以上百種神
奇配方，款待你的身心。

生活是無聊的。
LUSH讓我們有更多玩意與自己玩耍，
一顆SEX BOMB
就把整個浴缸振奮得樂趣十足。

時間是匆忙的。
AVEDA以樹木與鮮苔的大自然保水配方，
讓受損的髮絲瞬間恢復生命力。

身體是疲倦的。
FRUIT&PASSION以甜杏、喬治亞桃、
鱷梨油、金盞草、田漿果、露莓黑醋……
L'OCCITANE以普羅旺斯精油，
為所有想甦醒的細胞，
進行大規模的光合作用。

童趣童裝篇

今年秋冬，以愛、歡樂與冒險，
為孩子的童年變裝吧！

ABSORBA、CHIC'A BON、
PETER RABBIT、古典維尼熊、NAUTICA
以鵝黃、軍綠、珊瑚紅、小水藍、橄欖綠、
礦石灰、煉奶白……
替孩子的夢與童話上色；

以螞蟻布、米其布、地裂布、砂磨布、
牛仔布、風衣布……
為孩子開展更大活動力的探險版圖；
以我們的愛與陪伴，
召喚雪花熊、小企鵝、彼得兔、頑皮狗……
加入孩子們的童年裡，一起遊戲。

今年秋冬，所有來過大遠百的孩子們，
都會很開心！

華麗，是設計師對妳最大的敬意！

換穿喀什米爾羊毛、真絲雪紡紗、
漆皮風衣、緞面禮服……
WAYNE COOPER的女人太性感。

英國古典剪裁絲絨、皺紗、針織……，
Justine Taylor Made的女人很完美。

馬甲胸衣配上高腰裙的
THIRD MILLENNIUM女人，
讓我們想起了凱薩琳・赫本。

頑皮流蘇搭玩著蕾絲性感的
Alannah Hill的女人，
都是好萊塢明星。

大遠百的Design 21 Fashion，
澳洲設計師們說好了，
要聯手以最酷炫的華麗，向妳致敬！

Design 21 Fashion

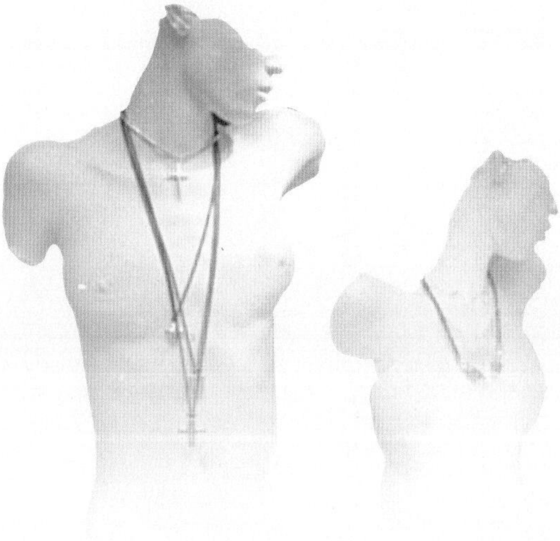

把整個上海舊時代大宅的奢華，帶進自己的家裡

為一瓶永遠都捨不得喝的私藏酒，
套一件華麗的旗袍裝，
替一只陪伴自己好幾十年的茶壺，
罩一件暖紅的小外套，
整個客廳沙發上的抱枕也換季了。

今年秋冬，
北歐NORDIC家飾、
義大利GUZZINI家品、
德國VILLEROY & BOSH陶瓷、
威尼斯SEGUSO VIRO玻璃藝品……
全都不約而同地，變得喜氣洋洋。

全新誠品武昌店，十二月一日帶領百種頂尖時尚品牌，
率先向你的舊習慣，展開流行的新政變

今年冬天最美的柔性政變

不需要尾隨時尚雜誌的名模穿衣，也不需要學會如何取悅男人，
現在已經到了起義的時刻。

為了推翻時尚專制，建立流行自主，
誠品商場在武昌街發起革命，把所有的風格主權，
從流行雜誌的主編手中、從男人的眼光裡、
從名牌的伸展臺上釋出，交回給妳。

Luvsick辣妹軍團從東京澀谷前來支援熱情活力，
香港a.s.t以好奇心，為妳規劃一張想像自由的藍圖。

b' bop Studio Shop以頑皮的古典炫耀著妳的創意，
紐約的21st and Stone以純銀、珍珠、半寶石證明妳的貴族血統，
Gemini則是以無限上綱的奢華，展現妳驕傲的華麗。
MFG把美國西部武士的勇氣變成美麗的圖騰，
Frankie B的「危險低」牛仔褲，把性感的曲線變成了男人的崩潰邊緣。

BYE BYE的豹紋娃娃鞋，讓妳的成熟在馬路上走著如塗鴉般的腳步，
Zodence的倫敦金屬狂野，龐克教母Vivienne Westwood的異教義，
讓妳的離經叛道有著別人都驚豔的魅力教壇。

Hot Wheels在這裡設流行戰場，Triple Five幫女人訂作了軍裝，
在巫托幫裡沒有國家認同的問題，但在五樓的運動場上可就得敵我分明。

X.A.C.以玉米、澱粉、葡萄籽讓歲月在妳身上停止作用，
無印良品是人類史上最美好生活的範本，
日韓混血的Olive des Olive，Baiter的巴黎風，與Zax東方風於此匯流，
日、義、中、美、泰的五國料理，歐洲牧場與日式居酒屋在這裡世界大同。

在街風與夜店之間伸張妳的美麗權，
在私人衣櫃與公共舞台上展示妳的魅力權，
妳有絕對的權力，為自己的身體決定今年流行什麼，
寵愛自己，讓自己幸福快樂，是天經地義的。

誠品武昌店，全棟十一個樓層開幕前的首次試賣，
號召各國百家人氣名牌在此集會遊行，
發動今年冬天第一波最美的柔性政變！

誠品武昌店樓層命名

美麗秘密基地
華麗指揮台
風格政變區
流行前衛隊
革命發源地

味覺新國度
狂歡節慶廣場
藝文新層峰

插畫：林怡芬

革命有禮——換舊習慣・有新回饋

化妝品、衣飾區滿三千送三百

活動時間：十二月一日至一月二十七日

使用時間：十二月一日至一月二十七日
當天即可使用

使用方式：可使用於全館B1F~5F商品，化妝品／內衣專櫃除外，滿一千可使用一百。

革命有情——
換舊口味．有新美味

聖誕燭光．美味大餐

活動時間：十二月二十日至十二月二十五日（聖誕檔期，餐廳滿額送）

活動方式：凡當日於六至八樓主題餐廳，單筆消費滿二千元，即加贈「耶誕精緻雪人蠟燭組」

革命有益——
換舊生活．有新驚喜

經典贈禮．全館滿額送

Soft Opening試賣誕生慶二月一日至二月二十六日活動期間：

誠品生活卡卡友，憑卡再加三百元誠品武昌店消費發票，即可獲得「條紋水漾杯」一盒。

當日全館累積消費滿一萬二千元，即可獲得Mini Baby熊&Baby熊。

一九九五耶誕&一九九六新年

當財神爺遇見聖誕老公公。

當天使學與年畫再度流行。

當Merry Christmas
和Happy New Year一樣興奮。

當聖誕襪與紅包袋一起豐收。

十一月十八日起，
誠品月曆海報卡片展，
在全省六家百貨及誠品，全面收集
男人的祝福，女人的思念、
孩子的驚喜和你的期待！

文案之前的思路

延伸思考：九〇年代卡片存在之必要

聽完必須取消的答錄。
掛完總是遺忘的電話。
在天涯海角思念老是收訊不良的行動電話。
不定期的第三者插撥，
老是中斷正在興頭上的言語求愛。

凡在高山海邊地下室之思念一律收訊不良，
每分鐘三元的通話費，請節約愛情長話短說。

透過數據機透過每秒28.8k的e-mail，網友取
代老友，一分鐘一二〇字的感情輸入，最怕
遇到電腦當機。

我們主張每一種感情都要經過消化及反芻，
以繁複的抒情取代不假思索的表白。於是決
定以米蘭昆德拉式的緩慢，和你逐字逐句地
培養感情。

1995.11.18-1996.1.7
視覺的凝聚
1996
KODAK 5037 EPT
誠品藝術月曆‧耶卡‧禮品‧記事本大展
誠品書店

12條聖誕的祕密通道

這是今年最後1次狂歡的機會。
用信用卡預支豐盛的耶誕大餐，2人同行，會有特別的折扣。
走進用棉花充當雪花的禮品店，買3雙長襪勾引不同國籍的聖誕老公公。
打聽最靈驗的算命師，用4種方法預言明年的運勢。
用想像力設定5種身分，在網路上找不同的情人，實驗自己的最大可能。
在行李箱外寫上6個最想去的國家，並開始打電話找玩伴。
做好新的理財計畫，讓明年存摺有7位數的財富。
找回8件丟掉的東西，例如手錶、電話本、身分證、抵抗力……，重新對待。
給情人9個愛你的理由，無怨無悔地陪到下個世紀，天長地久。
每天做伏地挺身，讓自己多活10年。
從薑糖屋出來遇見的第11個人，是你的前世情人。
今年最後一次鐘聲第12響，你將有1999個願望可以實現。
十二月十一日至一月三日，誠品商場中山店、忠誠店、敦南店、板橋店……全省歡樂開放中。

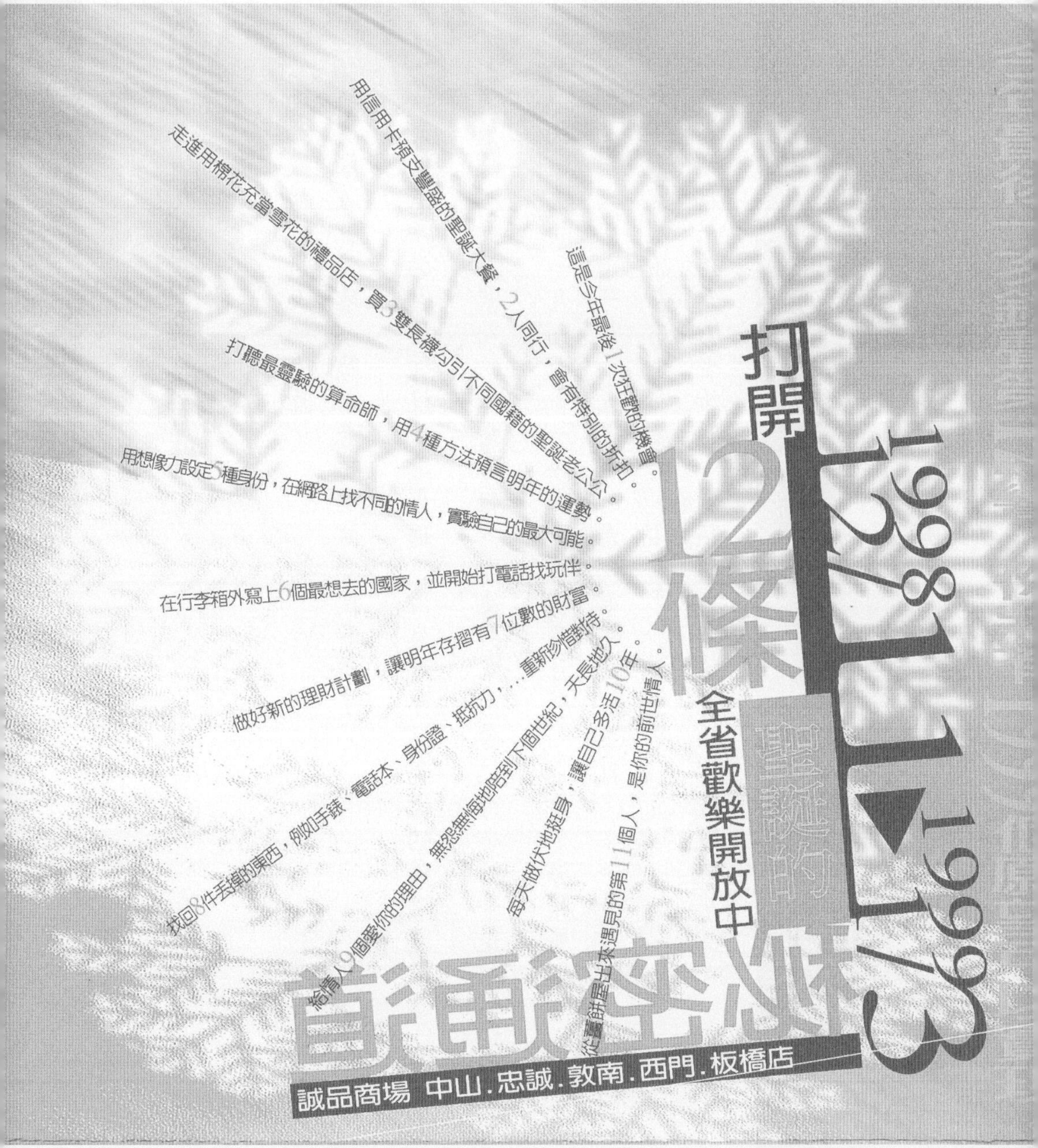

打開
12條
聖誕的
1998/12/1▶1999/1/3
全省歡樂開放中
這是今年最後1次狂歡的機會。
用信用卡預支豐盛的聖誕大餐，2人同行，會有特別的折扣。
走進用棉花充當雪花的禮品店，買3雙長襪勾引不同國籍的聖誕老公公。
打聽最靈驗的算命師，用4種方法預言明年的運勢。
用想像力設定5種身份，在網路上找不同的情人，實驗自己的最大可能。
在行李箱外寫上6個最想去的國家，並開始打電話找玩伴。
做好新的理財計劃，讓明年存摺有7位數的財富。
找回8件丟掉的東西，例如手錶、電話本、身份證、抵抗力，…重新珍惜對待。
給情人9個愛你的理由，無怨無悔地陪到下個世紀，天長地久。
每天做伏地挺身，讓自己多活10年。
從聖誕舞會出來遇見的第11個人，是你的前世情人。
誠品商場 中山.忠誠.敦南.西門.板橋店

預約一九九七的史無前曆

十九歲初戀情人的卡片，
藏愛像藏書般地，躺在老奶奶信盒裡多年了。
一九四五年的月曆從沒拿下來過，因為那年父親過的最風光。
獨居時，視為家人的心愛海報，即使搬家都會記得小心帶走。
一生一次的一九九七，一年一次的誠品月曆、卡片、海報展，
一九九六年十一月十五日至一九九七年一月五日，
全省十家誠品書店全面展開，
請您預購一九九七生活態度，預約史無前曆的典藏價值。

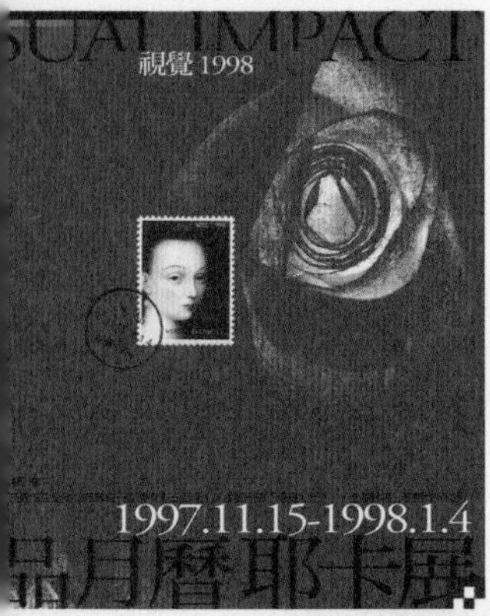

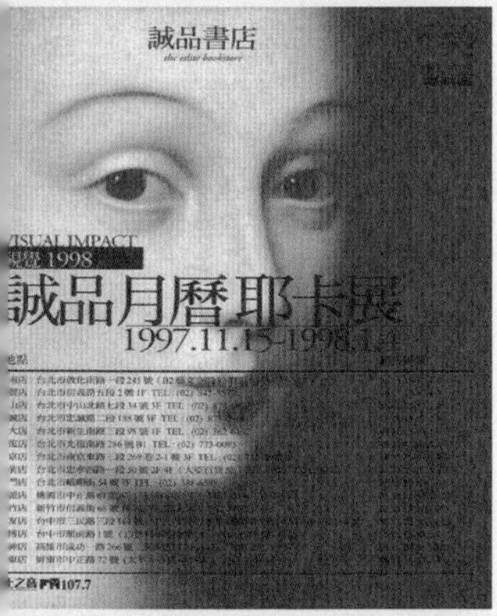

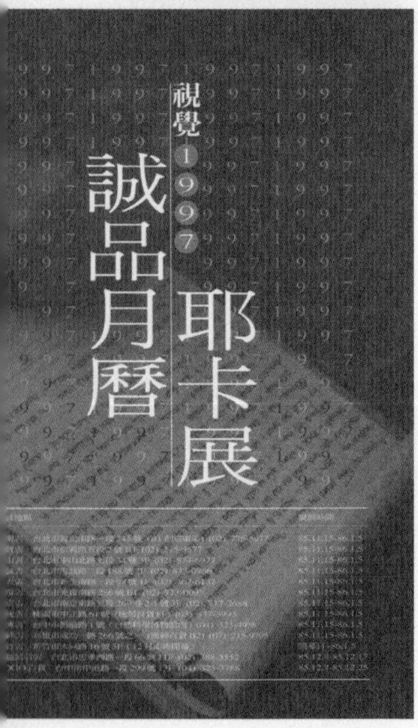

一九九七的美麗預感

「年紀愈長，人們都說時間似乎是過得愈來愈快。
我兒子多活一年，對他來說，那就是他生命的十分之一，
而如果我多活一年，那只是我生命的百分之二而已。」
——Robert Levine《時間地圖》

「時間」永遠是最大的主題。

某一個時刻的重要性、時間長短的相對性，因人而異。

你可以給在一九九四年認識的情人，買張一九九七的卡片。
憑著一九九五年的美麗預感，買張一九九七的海報。
為了實現一九九六年提出的夢想，買套一九九七的年曆。

一九九七，史無前曆，一生只此乙次。

善待彼此・禮遇一九九七

尾牙之後，每個人都有一筆意外之財。
付出比對方更多的善意，不算吃悶虧。
買一個福袋，總是摸索到更多的驚喜。
冷落的燭台，在跳蚤市場被重新對待。
難被取悅的美食家，被一瓶葡萄酒收買了。
失戀男子決定讓水晶杯，有去無回地留在情人身邊。
孩子從Tedy Bear的懷抱中得到補償。
毫無心理準備，用四十九塊就可以買到一本詩集。
你的善意一定會讓人受寵若驚。
每一樣欲望，都可以獲得最友善的價格禮遇。

以友善的價格善待彼此

在這個「感謝」歉收，無「禮」取鬧的年代，
我們更要善待彼此。

一九九七誠品禮品節，以五個樓層的盛大排場，
為你一九九七的送禮和採辦年貨創意提案，
以友善的價格和會心的禮品組合，
全面善待你的親友，禮遇你的新生活。

誠品一九九九誠品月曆・耶卡展

世紀末的最後預演

如果站在二十一世紀往回看，
你在西元一九九九年所做的每件事，
都是影響新世紀的重要關鍵。

一九九九年的一隻錶，
變成《似曾相識》回到上個世紀的記憶入口。
一九九九年網路上一夜鍾情的網友，
是下一波網路革命的重要戰友。
一九九九年的一本占星學，
意外發現與外星人溝通的新密碼。
一九九九年的一張卡片，
成為電腦用來推理《人類書寫動機論》的唯一證據。
一九九九年法國驚鴻一瞥的女孩，
下一次見面可能在外太空。

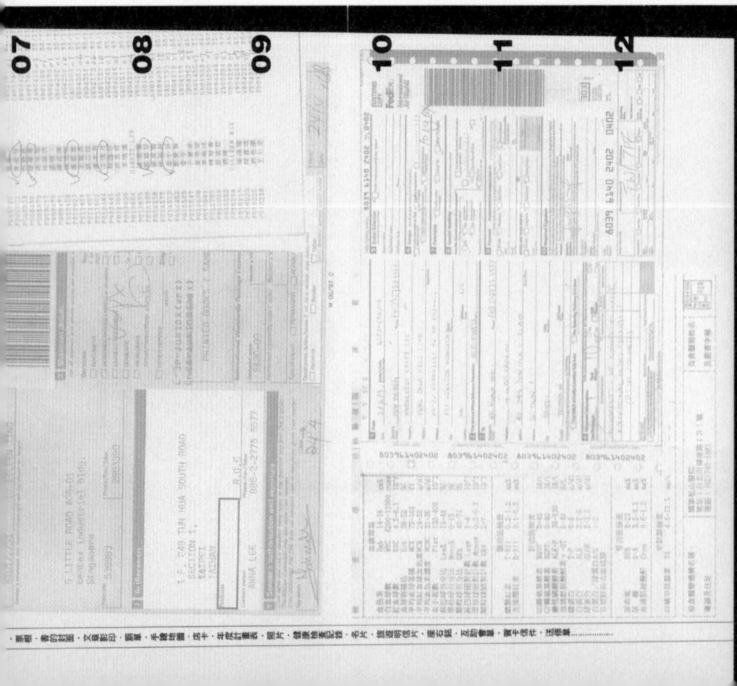

你在一九九九年買的東西，
過完二〇〇〇年，就變成了古董。
在一九九九年完工的建築，
一到下個世紀就劃成了百年古蹟。
所有在一九九九年認識的人，沒多久，
都成了上個世紀卻還沒上年紀的百年老友。

一九九九年不是二十一世紀的過渡，
而是未來時間表前的最後預演，
所以你要很慎重地
挑選一九九九年的態度、朋友、理想、住所、
月曆、海報、卡片及信紙，
用二十一世紀的新眼界，
來誠品海卡展
預購一九九九年史無前曆的歷史價值。

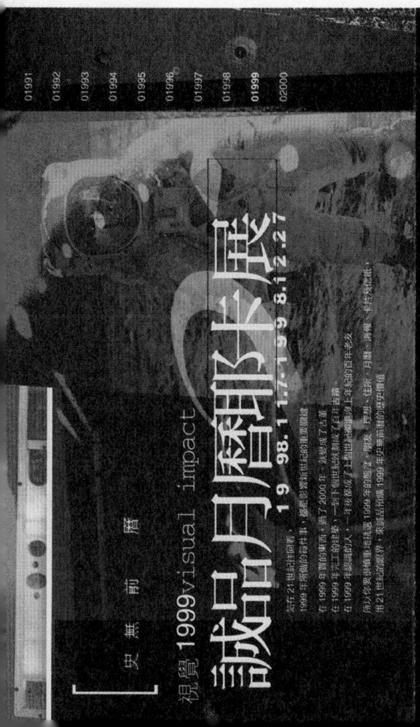

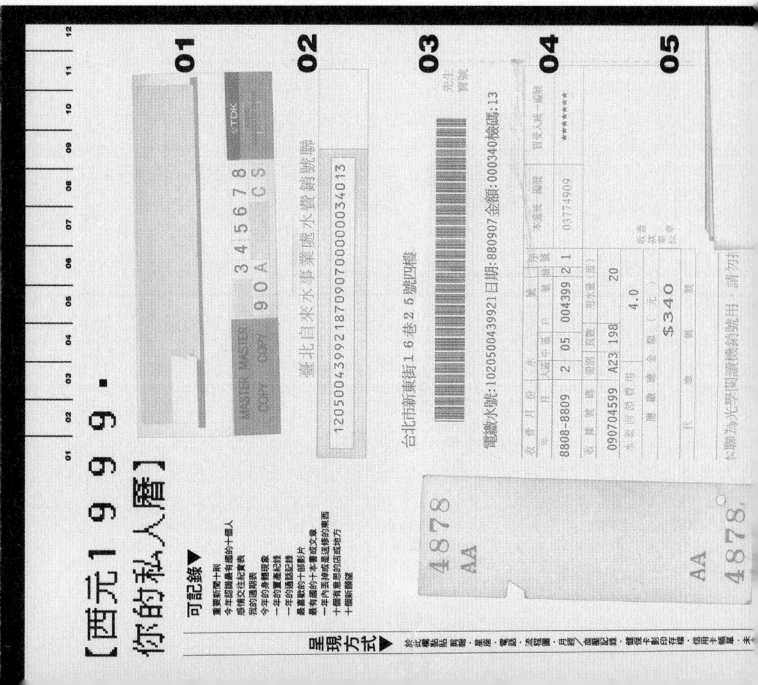

1 9 9 9

20世紀末年

1 雌雄同體／Androgyny

蜥蜴以卵複製基因。
花在體內自傳花粉。
蝸牛自行產卵受精。

神話明載，人原是雌雄同體，
自伊甸園一分為二之後，
不完整的進化，
讓亞當忙著找夏娃，
夏娃則在找彼得。

走回性別的雙贏地帶，
新世紀要回到雌雄並存的中性，
並擁有伊底帕斯的雙重性慾。

高提耶縫好了裙子給長髮美男，
香奈兒量好了軍裝給五分頭女將。
王子遇見蝴蝶君，花木蘭遇見歐蘭朵，
兩性在體內和解，從此沒有性別歧視，
雌雄同體的世代，我們更能自給自足。

2 變身慾／Body Off

上帝欠你的，當然要得回來。
只要可以忍受手術刀的美麗剮刑，
或是穿上調整型馬甲內衣，
你將擁有安室的小臉，CoCo的柳腰，

may

s	m	t	w	t	f	s
						1
2	3	4	5	6	7	8
9	10	11	12	13	14	15
16	17	18	19	20	21	22
23	24	25	26	27	28	29
30	31					

june

s	m	t	w	t	f	s
		1	2	3	4	5
6	7	8	9	10	11	12
13	14	15	16	17	18	19
20	21	22	23	24	25	26
27	28	29	30			

july

s	m	t	w	t	f	s
				1	2	3
4	5	6	7	8	9	10
11	12	13	14	15	16	17
18	19	20	21	22	23	24
25	26	27	28	29	30	31

august

s	m	t	w	t	f	s
1	2	3	4	5	6	7
8	9	10	11	12	13	14
15	16	17	18	19	20	21
22	23	24	25	26	27	28
29	30	31				

21世紀視野

4 偷窺與曝露／Peek & Expose

偷窺不再是大廈管理員、徵信社、調查局、
保全人員的特權，
罹患世紀末自閉情結的都市繭居族，
開始在自家陽台成立邊緣特搜隊，
從無聊的八點檔，塞車的網路轉移目光，
所有流失的收視率，
都流向二十四小時open的針孔式攝影機，
同步收音的秘錄機，3D立體透視鏡，
解碼器，高倍數望遠鏡……，
決定開始偷窺老婆、鄰居、名人、
路人甲、和自己。

所有偷窺狂和表現慾的人，
你選好了位子嗎？

5 天災與疫情／Exterminatic & Epidemic

上帝阻止不了天災人禍，
女媧補不了臭氧層的破洞，
冷氣降不了溫室效應，
疫苗擋不了疫情的擴散。

和莎朗史東的美腿。

如果只想暫時偽裝，
可以戴頂假髮，紋上美人痣，
換成藍眼珠，滿身小麥色，
變成銀髮婆婆，或是上了糖果妝的粉紅芭比，
迅速離開現實及所有討厭的人。

有善變的雙身，才有精彩的雙重生活。
除了隨身變的艾迪墨菲之外，
其餘的請記得在隱密處貼上足以辨認身分的刺青貼紙，
或是請隨身攜帶身分證，以示與情報局無關。

3 單身／Single Freedom

王子與公主不一定過著幸福快樂的日子。
每三個人，就有一個選擇單身或健康式分居，
小套房大量興建，從此不再有人佔用你的浴室，使用你的牙刷，
你將有更大的空間陳列個人私藏，
更多的時間看書，看電影，睡眠，
更多的錢享受更昂貴的生活。

失樂園的教訓已被領悟，
生命有限，請即時選擇最繭居的生活，
最自私的享受，
社會學家預言的自足式蜉蝣文明，已經開始。

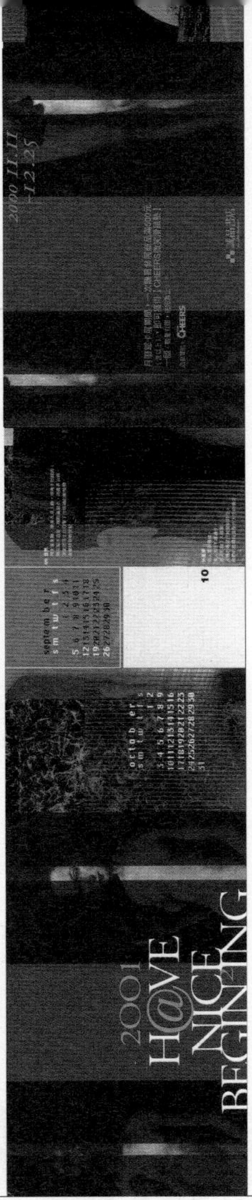

掛艾草、喝雄黃、迎佛牙、萬人祈福，
喝純水，發明殺菌衣，帶抗紫外線傘……
我們還是沒法趨吉避凶，百毒不侵。

大災難在電影之外還是真的發生，
病毒連續殺人，疫情還在蔓延，
天助自助者，請自求多福。

6 預言與宗教／Predict & Belief

催眠回到前世，
向塔羅牌問明天的運勢，
從水晶球看自己的將來，
未來的密碼已經寫在聖經裡。

末日將近，上帝遲遲不來，
只要不向麻原彰榥頂禮膜拜，
業餘學一點紫微，看一點星象，通一點靈，
練一點氣功，說一點預言，
會一點鐵板神算，
做一個善良的女巫，聰明的先知，
或是有魔力的男天使，
可以讓你逢凶化吉，普渡眾生。

1 9 9 9

20世紀末年

7 電腦與網路／Cyberspace

從愛情速配機中找到情人，
上班族在一夕之間成為電子雞農，
心之所至，無網不利。
電腦創世紀，全面解放壓抑人格，
你可以自訂性別，改名和建立新身分。

買菜、問命、交友、上學、
看病、做愛、告解，掃墓、
修行、提錢、玩樂、買軍火、上法庭……
電腦有求必應，除非中毒中風或當機。

電腦還沒準備好開始過新世紀，
亂序危機已經展開。
在完美的虛擬實境中，
我們已逐漸喪失面對真實世界的勇氣，
沒有電腦，我們會不會過得更好？

8 未來家／Future Home

我們可以自行生產氧氣、葉綠素和芬多精，
利用太陽能自給自足，過繭居生活。

我們將有一個自動控溫的房子，
一間連線的視訊辦公室，
一間虛擬性愛的臥房，
一座虛擬塞納河畔的生態花園，

may
s m t w t f s
1
2 3 4 5 6 7 8
9 10 11 12 13 14 15
16 17 18 19 20 21 22
23 24 25 26 27 28 29
30 31

june
s m t w t f s
1 2 3 4 5
6 7 8 9 10 11 12
13 14 15 16 17 18 19
20 21 22 23 24 25 26
27 28 29 30

july
s m t w t f s
1 2 3
4 5 6 7 8 9 10
11 12 13 14 15 16 17
18 19 20 21 22 23 24
25 26 27 28 29 30 31

august
s m t w t f s
1 2 3 4 5 6 7
8 9 10 11 12 13 14
15 16 17 18 19 20 21
22 23 24 25 26 27 28
29 30 31

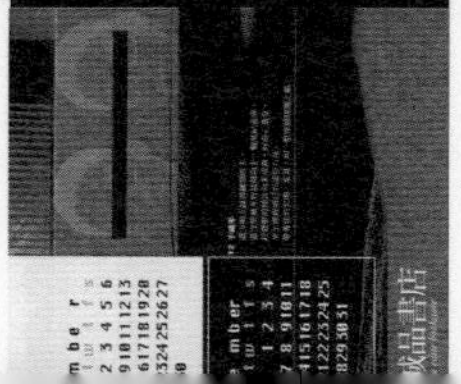

21世紀視野

10 外星生命／Outer Life

有人和ET握過手，
有人看到飛碟。
有人擊落ID4，有人被外星人綁架。

第五元素已被啟動，
第四類接觸已經開始，
復活島的巨石像是祂們留的禮物，
我們仍在找尋住在外太空的新朋友。

11 複製人／Clone

和Narcissus一樣在鏡前自戀，
找不到肉身的雙胞胎，
找不到精神上的雙面薇若妮卡。

桃麗羊成功後，
我們決定把自己變成複數，
動手複製一模一樣，或是更完美的自己，

一座恆溫泳池，私人味蕾廚房……。
對外有電腦智慧監控流量的道路系統，
你還可以在各國的太空殖民站之間，
星際旅行。

如果你想找嫦娥，可以住月球。
如果你是獅子座，
你可以住在獅子星群中，擁星為王。

9 回歸自然／Tend To Nature

用生菜果腹，用薰衣草入睡，
用佛手柑醒膚，用花梨木造愛，
用粗麻縫衣，用蘆薈治病。
決定把莎士比亞筆下出現過的動植物，
全都移到新世紀。

天性的喜歡，簡單的快樂，
拒用人工製品，
小王子將送你一朵玫瑰，
做為世紀末最後一瓶香水。

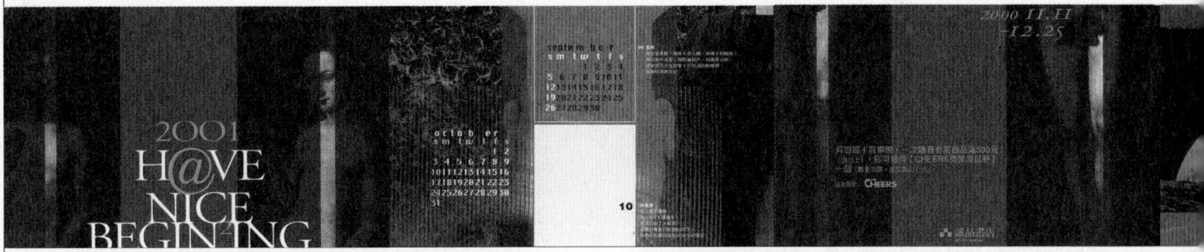

複製愛因斯坦、瑪麗蓮夢露、麥可喬丹、
和瀕臨絕種的熊貓。

我們很忙，需要分身，
需要像印鈔票似的，
快速複製人腦的價值，
看著自己被生下來的時代，已經來臨。

12 千禧來臨／Millennium

如果彗星撞地球，
如果聖嬰潮大過嬰兒潮，
如果極地移轉，海潮上漲，
我們是否能在新世紀，適應新環境？

除非你在月球有房地產，
除非你會駕駛太空船逃逸，改用光年計日，
否則找一艘比鐵達尼號安全的諾亞方舟，
帶著你的文明，和一整座動物園上船。

來不及看病的，不想老化的，
把自己放在零下196°C急凍，
在下一個世紀等人吻醒，
在復活節平安甦醒。

聖境預言書已經出版，
第二個千禧年即將到來，
額頭上有蓋封印者，
你將看到上帝如期赴約。

一九九九・歡度家節的新家法

情人與家人，有時候是很難分辨的。

善於料理的情人，
總會想自私地佔為己有，
把她變成朝夕相處的家人。

噓寒問暖的家人，
每逢過節總還是記得送花送禮，
像是對待情人一般。

情人與家人，有時候還會彼此吃味，
每逢假日倍感分身乏術，
忠孝難兩全。

這次，
難得遇上情人節和春節和平
共存的二月，
交換一下
對待情人和家人的感情模式：
和情人圍爐守歲，
和家人浪漫地吃情人節大餐，
關於一九九九種
歡度「家」節的浪漫靈感，
你可以在誠品五家商場，
找到用不完的幸福家法。

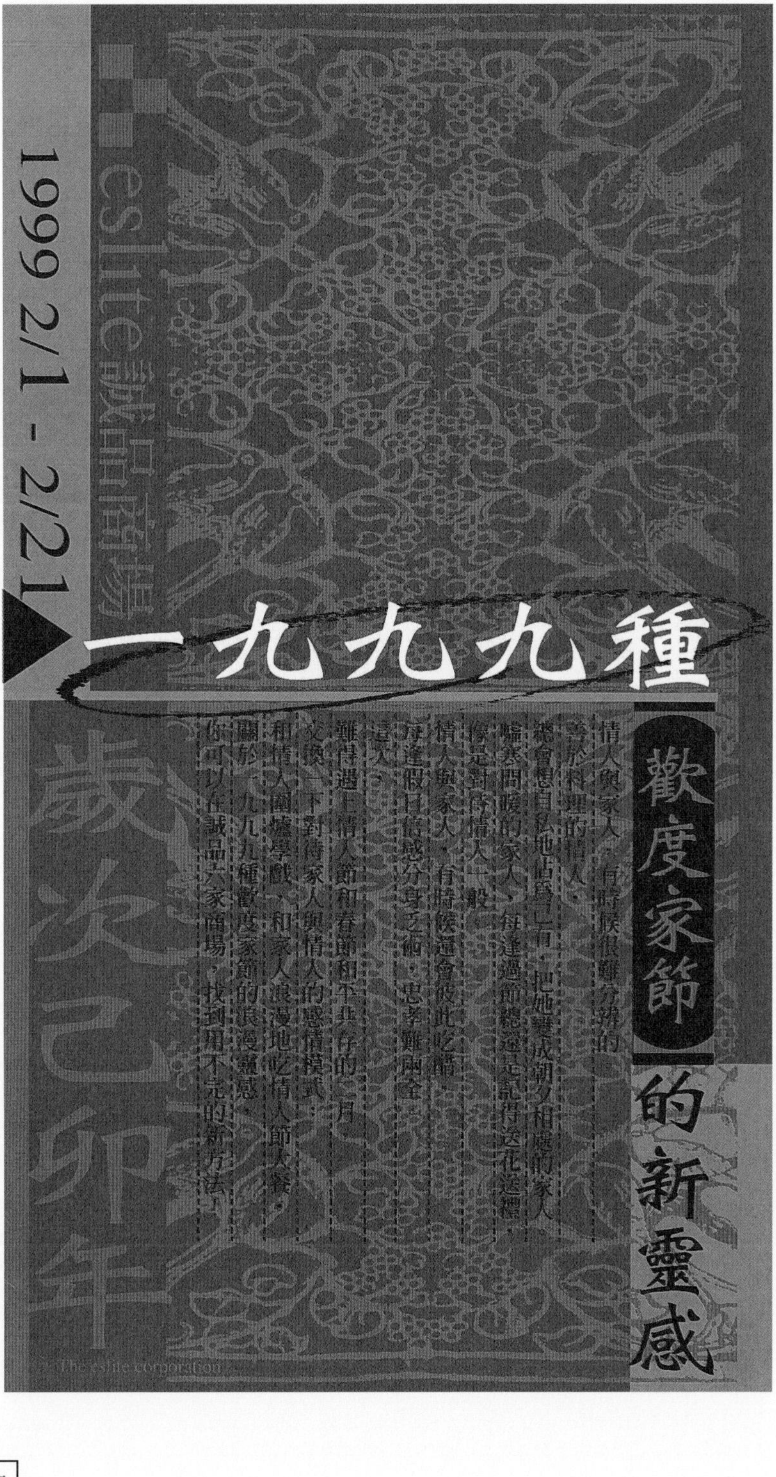
1999 2/1 - 2/21
eslite誠品商場
一九九九種
歡度家節
的新靈感
情人與家人，有時候很難分辨的。
善於料理的情人，
總會想自私地佔為己有，把她變成朝夕相處的家人。
噓寒問暖的家人，每逢過節總還是記得送花送禮，
像是對待情人一般。
情人與家人，有時候還會彼此吃醋，
每逢假日倍感分身乏術，忠孝難兩全
這天，
難得遇上情人節和春節和平共存的二月，
交換一下對待家人與情人的感情模式：
和情人圍爐學戲，和家人浪漫地吃情人節大餐，
關於一九九九種歡度家節的浪漫靈感，
你可以在誠品六家商場，找到用不完的新方法！
歲次己卯年
The eslite corporation

找一條夢想的地平線，建一座許願牆

找一條夢想的地平線，
把期待凝結成一塊塊願望的磚，
砌成一道信仰未來的牆。

然後塗上跨年溫暖的色彩，
所有的人都心誠則靈。

這是一九九八送給所有台北人的許願牆。

請留下你的手印及簽名，
或是填好一張許願卡，
閉上眼睛交付希望，
你所有的渴求，都將如願以償。

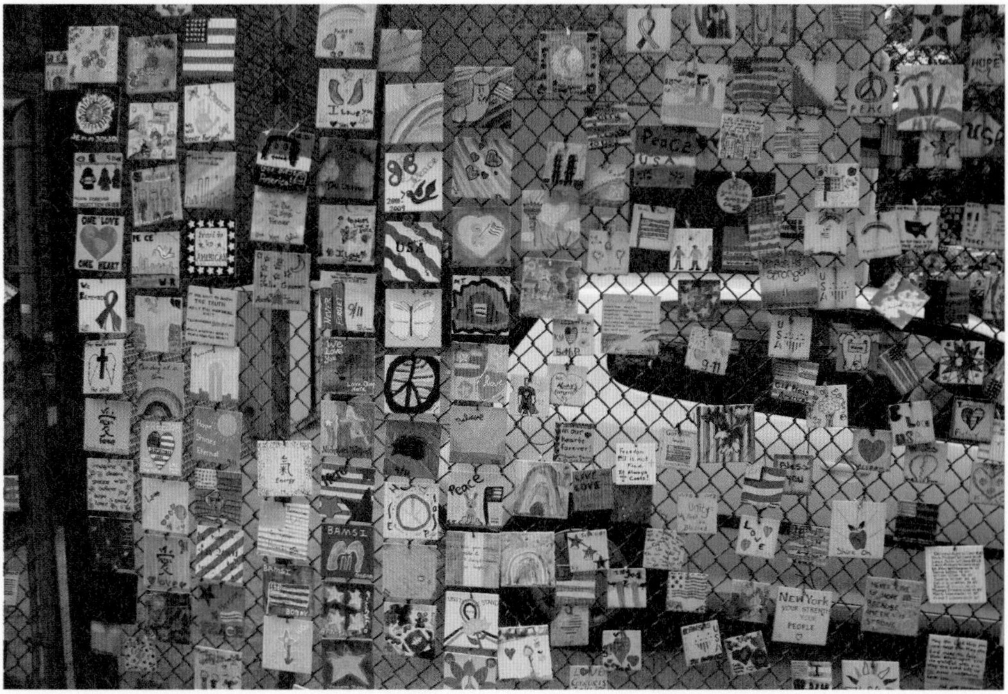

ONE LOVE
ONE HEART
USA
Peace
HOPE
New York

送您四個美麗的季節、十二個活力的月份、五十二個豐收的星期、三六五天精彩的日夜！

一月・夢想 Dream

因為還有未來，所以今日有夢；
有了夢，我們就有新的動力，向明天大舉跨步。

梵谷說：你可以感覺到星星和無限的天空，儘管有許多雜物，
生命還是像一則童話故事。
六十億人口，六十億位夢想家，六十億種進化的方向，
讓地球得以每天不同，沒有人能對未來準確預言。

趁著好奇心還在，讓我們如孩子般，在未來的夢裡大膽塗鴉，
把靈感發射升空，向流星許願，
整個二〇〇七年，就是我們夢想成真的一年！

二月・創意 Creativity

普魯斯特說：真正的發現之旅，不在於找尋新天地，而在於擁有新的眼光。
創意，就是依自己的夢想，展現出獨特的生命力，
活成一個造物主的最大潛能。

所有夢、故事、幻想、希望的旅行里程最遠，
所有的絕妙靈感，都要以光年計算。

年輕，是人生最美麗的奇蹟——
就讓我們以永遠不老的想像力、加量的青春活力，
蔓長各式各樣的創意驚奇。
有一雙讓生命豐富、讓生態活絡的眼，就能換一個有趣的觀點看世界。
有創意，就能讓你的生活與眾不同，為你無止盡地創造生命的財富！

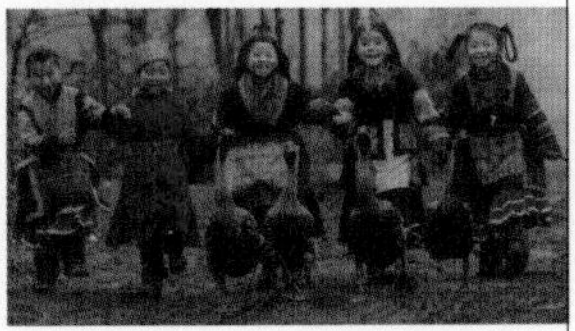

三月・幸福 Happiness

憂鬱的人，只能看到生命的幽谷；幸福的人，看見的全是萬物美好。
幸福，就是用正面而創意的眼光，重塑美麗新世界。

幸福是一種極大的創造力量，一種瞬間改善自己，並擁有為他人造福的能力。

Margaret Young說：「人們常常倒退著過日子：他們想要擁有更多的東西，或更多的錢，以便能做更多想做的事，好讓自己更快樂。其實反方向才是對的：你必須先成為真實的自我，然後做你必須做的事，於是你便擁有你想擁有的。」

於是，讓我們把順序倒過來，先讓自己快樂，
相信自己值得幸福、已經幸福、把自己完全融化在幸福裡，
以天性樂觀的態度，一起共創真正富有的二〇〇七年。

四月・能量 Energy

幸福是目標，夢想是動力，創意是方法，我們還需要高卡路里的知識熱能，
高功率的藝術電能，讓每天充滿生生不息的能量。

創作的心靈，永遠在找尋無邊界的自由空間。於是我們向大師們借智慧，
在這只「多腦盒」裡，所有的觀念、信仰、思緒、潛意識、衝動、表情、
體溫、愛、感受、聲音、氣味、期待……
都在這裡大幅度地，與我們產生光合作用。

一次次生命的交流對話，一場場藝術的激動分娩，
已經新陳代謝了數十萬個靈魂，徹底活化了每個人的肢體細胞。

五月・活力 Power

身體在風速中挑戰極限，一種無人能超越的動能，
滿足了內在強大的征服欲，所到之處，就是新領地。

每一秒的衝刺，就是一門值得深究與讚歎的靈魂力學。
讓我們向這些偉大的運動選手致敬，
並在加油線上，接收他們驚人的爆發力。

艾格尼斯・德米爾說：當你演出時，你已經不是原來的自己，
而是更大、更強、更美麗的自己；
在那幾分鐘裡，你是個英雄，

這是一種力量，這就是世間的榮光。

我們也是自己生命場上的運動員，輸贏不重要，過程即圓滿——
以連續高亢的腦力、腎上腺素最大的活力，每天刷新自己的生命紀錄！

六月・歡慶 Celebration

所有的夢想已經成真，所有的願望已經完成。
用期待的眼神，排出狂歡的細節；
用加速的心跳，調快迫不及待的腳步。

人們從四面八方而來，活出一個節慶該有的熱度——
這個島嶼，因每一場節慶的刺激，已經長出新的感官與觸覺系統，
來狂歡的人，都能感到喜悅的最大強度，
身體停留在興奮的最高點。

印度智者說：「成為慶祝者，已經有太多東西在那裡了，
綻放的花朵、歌唱的鳥兒、天空的太陽，你還需要什麼？就是慶祝！
你正在呼吸、你活著、你擁有意識，慶祝這個事實，
於是，過去的壓力與痛苦，都轉成了感謝，
整顆心隨著深深的感激而跳動。」
生命是豐富的，每一天都值得慶祝，
我們隨時都有振奮精神、鼓舞身體、招朋引伴、親子同歡⋯⋯
天天都是嘉年華的理由！

七月・珍惜 Treasure

Joseph Murphy說，如果你能睜開心眼，看看內在無窮盡的寶庫，
就會發現無處不是珍寶；你的內在有一處金礦，
可供給你光彩、喜悅、富足的生活所需要的一切。

如果一片樹葉，擴大意識成為一棵樹，它就不會與其他的樹葉爭奪資源，
因為千枝萬葉，都是自己的一部分。
同樣地，如果我們擴大意識，與地球生態、全人類合一成「大我」
人與人之間的界限就消失了，人與自然的對立也會轉換成和諧，
眼前的一切都是我們的一部分，
無需掠奪佔有，因為我們天生富足。

人類，是所有物種中，唯一有能力保護其他物種與環境的生物——
珍視內在富有，珍惜大地豐饒，珍愛生命萬物，
讓我們重新定義，每一個事物無可取代的非凡價值！

八月・感恩 Thanksgiving

Melody Beattie說，感恩能展現出生命的全貌，
它讓我們擁有足夠和更多的東西；
它讓否定變成接納，將一道菜變成一場盛宴，
一幢屋子變成一個家，陌生人變成朋友……。
感恩為過去注入意義，為今天帶來平和，

為明天創造視界。

感恩，就是珍惜我們所擁有的一切，然後心存感激。
只要這一秒心還跳動著，
我們就應該感謝天、感謝地、感謝生命、感謝家人、
感謝自己！

就如同十三世紀德國哲學家Meister Eckhart說，
如果你生活中唯一的禱告詞是「謝謝」，那也就夠了！

九月・分享 Participation

我們手上所擁有的一切，都可以更源源不絕，
秘訣就在於「分享」——
「分享」可以讓能量流動，讓愛開始融化冰冷，
讓火與光，傳到最偏遠的地方。

所有我們給出的，都是人性最無價的珍寶：
就像一朵花開，影響了另一朵花開；
就像一股水泉流向大地，會有新的水源再度流出——
我們與在地球上的每一個人，
共用陽光、空氣、星月、溪河、大地、生命……，
這就是我們彼此支持、相互瞭解的共同血脈。

施比受，更有福。
佔有的人，被自己的野心與貪婪所佔有；
能分享的人，才能真正享受無邊無際的富有。

十月・關愛 Love

Edith Wharton說，展現光亮有兩種方式：
當蠟燭本身，或是反映燭光的鏡子——
如果「分享」是一條流向四方大地的溪流，
「關愛」就是那最初湧現的泉源口。
陽光有愛，所以萬花齊綻；
微風有愛，所以鳥乘風行；
雨水有愛，所以魚群悠遊；
人們有愛，所以繁衍不絕。

愛是橋樑，連結河的左岸與右岸；
愛是雙翼，同心就能飛翔——
每一個人都是我們的父母手足，
有愛，讓我們在冬天時依然溫暖，
在孤單時依然喜悅，在危難時還有希望！

十一月・和平 Peace

愛別人，也等於愛自己；傷害別人，就如同向自己施暴——
和平，是人類走向幸福唯一的路，也是讓每個人帶著微笑安眠的保證。

七色對立，就無法形成彩虹；
日夜爭奪，就無法形成一天；
四季排擠，一年就不再生動多變——
慈悲沒有敵人，讓我們把隔離的牆打掉，把心的拒馬移開，以愛尊重彼此，
包容與我們不同的性別、省籍、種族、國家、聲音、理念、信仰……

梭羅說，映照在窮人和富人屋頂上的陽光一樣燦爛，
門前的積雪同樣都會在春天消融——
愛無國界，和平讓我們的心更寬廣！

十二月・願景 Vision

當我們停止對抗彼此的內耗戰爭，就能以和平之光高速進化，
於是，一張更浩大壯麗的願景圖，就在眼前。

Sheila Graham說，如果想得夠殷切，就會得到你想要的任何東西；
你必須乘著衝破地表的巨流，熱切嚮往，
並結合創造世界的能量共同為之。

地球是圓的，到了一年的終點，但也回到了新一年的起點——
讓我們站在豐收的二〇〇七年之上，向更遠的二〇〇八年順風起飛！

B

城市・旅行・戀物癖

班傑明（Walter Benjamin）體內有個圖書館，
不惜變賣家產拼命買書；
我體內亦感覺到有一座博物館的需要，
這座博物館雖然空著，但早已分好類別，
等著我在旅行Shopping時填滿。

每年出國敗家六次，我從已經到訪的四十個國家中，
找出自己的精神脈絡，從Shopping中建立自己的物體系，
從收藏裡，歸納出自己的戀物信仰。

阿爾維托・曼古埃爾在《意象地圖》中說：
「人類在自己的洞穴壁上，劃出線條，或是印下手掌跡，
以表示自己在場，以填補空白處，以傳達記憶……。」

我將依據陽光法案，公佈我的戀物情節，
我的收藏型錄，我的財產清單，我的百科全書。

iRoo，是你最機靈的貼身私人衣櫃

你可能已經厭倦了你的身分、年齡、形象、國籍、居住地，
iROO把瞬間重生的魔法還給你。

天鵝絨、印花雪紡與緞面，為你世襲了：維多利亞宮廷的高貴血統，
這種經典一旦穿到你身上，你就擁有了無人敢正面迎視的皇族氣質。

你想隱遁的靈魂，渴望流浪在吉普賽鄉村、愛爾蘭、羅馬尼亞，
iROO給了你波西米亞的野性，你的衣服大膽地混著異國的血，
你擁有了整隊馬戲團的創意活力，你要自由，誰都綁你綁不住。

夢不會因長大而變老，在你的白日夢中，
永遠有片純淨的森林，一座幸福的城堡，
仙子如你，洋娃娃如你，穿著一襲春裝，
從油畫中走出來，走進人間春天的花園。

熱愛電子音樂的你，有時想當個搖滾歌手，
iROO能給你的身體，極自由的換檔速度，
所有的亢奮節奏，都縫進你的好動腰線中。

在爭奇鬥妍的派對裡，你一身iROO巨星晚禮服，
眾所矚目的驚豔，早已縫進多層次的曲線皺褶裡，
一夜之間成為時尚界的指標人物，你很難被忽略。

有了iROO，你不只是你自己，你還可以變化出更多版本的你：
iROO自西元一九九九年起，就讓全臺灣都會女人的世界變了個樣，
全年不二價，平均價一二八〇，讓每個女人都擁有蛻變自己的特權，
極優的品質符合挑剔的你，周周新裝，趕上你喜新厭舊的速度。
iROO是你最機靈的貼身私人衣櫃，也是你的私人健康守護者，
未來這股風潮，將繼續蔓延到大陸、亞洲、美洲，以及全地球。

■iROO的美麗新世界：www.iroo.com.tw

我把我們不在一起的三〇五天日子，買回來！

我們不是說好，要到太麻里一起看千禧年的第一道曙光嗎？你卻缺席了。

我們錯過了一生只有一次，二〇〇〇年送給我們第一道陽光的感動。接著，我們錯過了陽明山的魚路和春天的杜鵑，錯過了夏天的雞蛋雪花冰和北海岸的浪，錯過了玫瑰盛開、蠟燭點滿幸福的情人節，錯過了秋天奧萬大的楓葉，還錯過了你的笑容。

那天走在路上，看到你戴上我第一次情人節時送你的裸鑽，心裡很激動。你知道嗎，像我這種一輩子沒進過珠寶店的男生，第一次有多掙扎：我不知道你的確切身高、你的喜好、你的脖子尺寸，但我卻一直在店裡找和你身形相似的售貨小姐。我挑了一顆鑽石項鍊請她戴上，推想著你戴上時，鑽石垂落的高度，會不會正好對著我心跳的位置，這樣子我們擁抱的時候，鑽石就可以同時記住你的體溫、我的心跳，傳達我們意在不言中的感動。

後來，我一個人看了一部電影，我無法忘記男主角對女生說：如果你相信神，所有的偶然都是巧合；如果你不相信神，所有的巧合也只不過是偶然。我和你小學同班，國中同校，然後又不約而同地考上同一所高中和大學。一開始，兩人坐得很遠的陌生同學，到大學畢業後竟然變成情侶，這到底是偶然還是巧合？如果天註定我們要一起度過童年、經歷青春，又為何它捨得讓你在二〇〇〇年開始的前一個禮拜離開我？讓我們錯過一輩子最重要的美麗開始？

我已經習慣一個人吃飯，一個人走過我們曾一起走過的臺北街頭，一個人自言自語，一個人旅行，一個人想你。直到昨天，你哭著打電話跟我說鑽石掉了，我知道，我一個人的習慣又要改變。

我打開撲滿，那是我們分手後，每天把該請你吃飯的錢、準備帶你去看日出的車錢、看電影鐵達尼號的錢、想為你買生日禮物、買情人節花束的錢、為你準備去旅行的機票住宿錢……，都幫你先留在裡面。我把這些錢，去買了一顆愛情克拉不變，長度也一模一樣的鑽石項鍊，我想把我們不在一起的三〇五個日子買回來，包括那顆錯過的日出在內。

我說，項鍊在我這呢，回來拿吧！

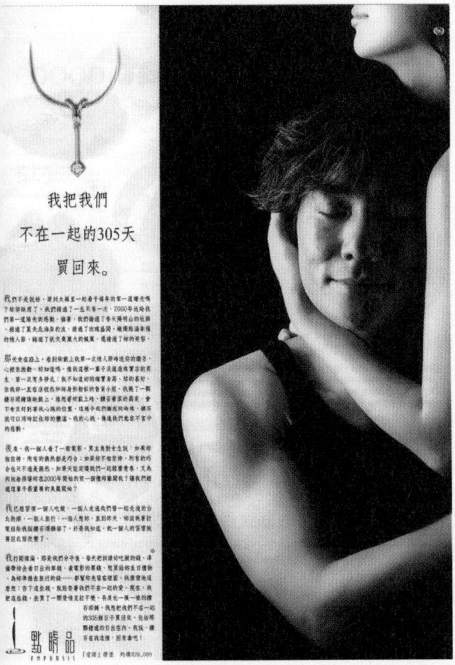

這是一篇關於杯子與人的複雜情節

杯子建築水的形式・水改善人的關係

杯情城市

獨處的杯

我們常有很多時候，而且是大部分的時間，只和杯子獨處。

早上漱口的時候，清晨的第一杯咖啡，辦公室的醒腦茶，下午費太太的果汁，晚上澆愁的酒，失眠時的牛奶……

如果我們沒有一個固定的愛人，沒有固定的口味及作息，我們應該要有一群自己專屬的杯子，向這個杯情城市，以示忠貞。

情人的杯

情人之間，尺寸不重要，距離才重要。

第一次約會，情人節的夜晚，不高興的談判，分手的最後一次見面，他們之間總會有兩個杯子，各裝著相同或不同的心情，保持距離。

這是一個杯歡離合的年代，
愈來愈多的失戀男子，選擇讓杯子有去無回地留在
情人身邊，
讓自己在她的桌上還佔有一席之地。

權力的杯

會議還沒開始，
有些人的杯子已經在裡面佔好了座位。
光看杯子，就知道這位子是誰坐的，
然後決定自己要坐哪裡。
有人的杯子是裸體的，可以一眼看透她喝的果汁。
也有人永遠的ESPRESSO，
不隨著頭銜而改變他的口味。
杯酒釋兵權，現在還再發生。

在這個有口皆杯的辦公生態裡，
為了不讓自己在杯際間失手·
可以同時擁有不同身分的杯，
沒有人可以從你的杯子，
一眼看出你的底細。

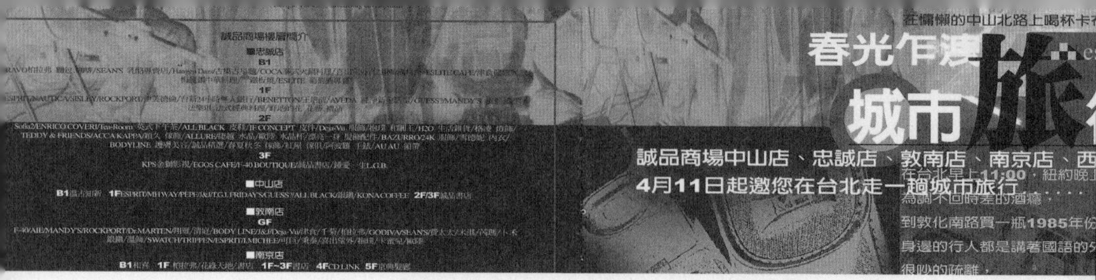

春光乍洩，四月城市旅行

他總是看完美國道瓊工業指數，
才決定今天股市進出的籌碼。
坐法國製的捷運到南京東路吃早餐，
一路上以雙語和女兒交談心事。
西門町多的是只記E-Mail Address，
不記得戶籍地址的台灣新宿人。
從忠誠路欒樹道上悠閒過街，和一
名巴黎金髮女孩談一場異國戀情。
用美金和美國學校學生換台幣，
在慵懶的中山北路上喝杯卡布其諾。
在台北早上十一點，紐約晚上十一點，
為調不回時差的酒癮，

在都市叢林中冒險的最佳裝備

穿上厚質背心，
在槍林彈雨的職場競爭中和信心並肩作戰。
換上休閒短褲，輕鬆跑過流言，謠言，
八卦，傳聞和緋聞。
加一件防風外套，
在忽冷忽熱的天氣和人情冷暖中保持恆溫。
戴一頂遮陽帽，
擋掉過熱的人情壓力和居高不下的紫外線指數。
脫掉西裝革履，換上輕裝扮，
誠品商場以盛大的排場，
提供你二十世紀末都市叢林裡的新教戰手冊。

城市遊創美人，春季必備新品

離開梳妝台，
帶一瓶礦泉水到露天咖啡座上保養皮膚。
換一只背包，
同時換掉舊戀情、舊習慣、舊記憶和舊包袱。
買一個記事本，
以更精采的腳程，刷新個人的世界紀錄。
背一把新傘，
讓易感的心情不隨著天氣晴時多雲偶陣雨。

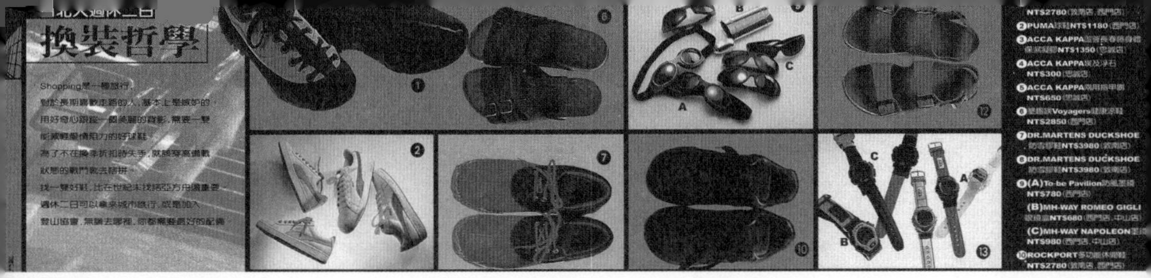

到敦化南路買一瓶一九八五年份的
Porto酒。

身邊的行人都是講著國語的外國
人，很吵的疏離，
一個人走著走著很容易想家。

台北是一個沒有國籍的城市，
適合不坐飛機的短程旅行。
誠品商場中山店、忠誠店、
敦南店、南京店、西門店，
四月十一日起，
邀你在台北走一趟城市旅行——
以想像力對抗地心引力，
帶著城市旅人的心情，
從誠品出發，
開始書寫這個有趣的城市。

謝絕濃妝豔抹，天生麗質不必加工。
簡單保養，簡單生活。
城市裡遊創美人的簡單必備品，
誠品商場台北五家門市，全城待命中。

台北人週休二日的換裝哲學

Shopping是一種旅行，
對於長期喜歡走路的人，基本上是嫉妒的。

用好奇心跟蹤一個美麗的背影，
需要一雙能減輕愛情阻力的好球鞋。
為了不在換季折扣時失手，
就該穿高備戰狀態的戰鬥靴去瞎拼。
夠酷的防風太陽眼鏡，
是沙漠旅人獵物，及城市偵探獵豔的重要配備。
氣象局也測不準的氣候，
你只能信任數位式手錶的天氣情報。

找一雙好鞋，比在世紀末找諾亞方舟還重要。
週休二日可以拿來城市旅行，
或是加入登山協會，
無論去哪裡，你都需要最好的配備。

綠色駕駛的心靈地圖

植物保養所。音樂競技場。兒童洞穴。
次文化境遇。氣候安置所。綠色副作品。
紅心皇后大樓。原子咖啡廳。自然遊步區。木造摩天樓。
與樹交通區。真理目擊道。跨文化網路。
隱私地。野臺戲（街上歌舞區）。旅行者歇息處。
我們期待一座乾淨而壯觀的綠色城市，逐漸成形。

文案之外的異類創作

夢想大量複製的精神衰弱

據情報單位指稱，
有人仍不滿β城及β′城，同質性太高，同等老化，同步腐敗，
決定要革命另一座新的城市。
退化成蝗蟻般大小的人口，壓縮在一五〇層以上、摩天大樓的一格格有價地產中，
各品牌的車輛，堆疊成立體停車場中，依時間計費，
上千家商店也擠在一長方柱的百貨公司，共用同一批人潮。

圖片／比爾賈

人們把自己困在八米巷道網中，疏散困難，
每天至少有上百人被壓在別人的踩踏之下，
至少有上千人在車陣中罹患幻聽幻想症，
他們信仰自己，批判異類。

符號、教條、宗教病患、和有病的醫生大量過剩，
全城的人傳染自毀症，
公民投票一〇〇%支持，
興建一〇一座核電廠在三百平方公里內，
並大量食用致癌物質。

這個城市的創建者被後人塗去功績，
市民酗飲有色味的化學廢水，並且乾杯狂歡。

β城變得極度衰弱，公車上寫滿了救贖經文，
便利商店開始兜售贖罪卷，
買十張還有機會到麥加朝聖。

有些生物正式絕種，博物館和殯儀館一起興盛，
預言家誕生，這個城市注定只能繁榮一次。

旅行，是一種生命分配的藝術

一趟難得的人生，
應該分出十天在瑞士，
在英王愛德華七世曾愛戀過的L'IMPéRIAL PALACE HOTEL，
倚著阿爾卑斯山安能希湖畔的琉璃意境中睡著。

應該分出七天在杜拜，
在望向阿拉伯海的七星級帆船飯店，
與情人共用三夜王儲之夢。
經驗此生無憾、羨煞全世界的幸福奢華。

應該分出十天在布拉格，
白天享受波西米亞的寫意縱情，
晚上選擇一個古老的身分，
參加中古世紀豪華的扮妝晚宴。
旅行，就是以獨特創意、絕佳勇氣，
把生命花在應該體驗的地方。

正因為生命如此珍貴，體驗如此難得，
加利利，將你的每次旅行，
都當成是你這輩子首次的唯一經驗，
依你目前生命階段與步調，
量身設計出符合你需求的旅行方式：
幫你規劃在法蘭克福羅曼蒂克大道上的早晨，
東非馬賽馬拉草原上的午後時光，
在紐西蘭俯瞰坎特伯利平原的古堡之夜……
讓你擁有說也說不完，
比電影更真、比夢更美的興奮情節。

不再讓你只帶回一疊與別人大同小異的觀光照片，
更不讓劣質旅行的掃興抱怨，毀了你對一個國家難得的體驗，
我們找的是生命旅行家，而不是到此一遊的觀光客。

加利利，用心規劃每趟旅行的完美記憶：
首創第一家以完美時間學，規劃主題式體驗的旅行社，
將每分每秒都設想進來，讓你享受全程完美的淋漓盡致。

照片由加利利旅行社提供

換個腦袋，就能換一種地球自轉的新方式！

德國慕尼克物理學博士Stefan Klein說：「我們腦子裡有一塊掌管喜悅、樂趣與陶醉的獨立系統，也就是說，我們有一個可以得到美好感受程式的『幸福系統』，透過正確的練習，我們可以訓練自己天生具備的『幸福感裝置』。」

生活劇本或許只有一種，但以不同的角度、高度、速度、態度來過，就會有截然不同的結果。

生活在臺北，有很多機會隨時刺激我們的腦下垂體，

分泌出樂活的荷爾蒙：

放在與世界交流臺上、數位多腦盒裡、在節慶與節慶之間，

同樣的二十四小時，就有不同的時空場景可以瞬間切換靈感；

於是，單調的生活就冒出了萬種的花苗，每分每秒都在展現演化的奇蹟。

換個腦袋思考，連地球自轉的方式都會改變！

專注呼吸，就能讓靈魂行使深度光合作用！

除非到了高山缺氧，否則我們永遠也感覺不到空氣，也忘了我們還在呼吸；忘了好好地的大口呼吸，身體便處在無意識的麻木狀態，心靈也開始槁木死灰，蒙上一層厚厚的積塵。

一呼一吸，氣血得以流動全身；完整吐納，就是大千萬相世界；好好呼吸，才能照料我們的靈魂，與大自然深度對流，行使光合作用——臺北有很多供應我們吐納天地、恢復元氣的山林河岸，只要把意念專注在每一口呼與吸之間，就是煩惱消盡活在當下的最好法門。

心肺相連，唯有活化兩片肺葉，心才能放下重擔，乘翼起飛。

全然走路，就是一趟沿途豐收的心靈旅行！

善行，是動詞，也是名詞——好好走路，走好的路，做好的事，就是善行。

我們常在吃飯的時候講話、走路的時候煩惱、睡覺的時候想明天……，我們的心不在家，腳背負著無魂的身體，就像無頭馬車，前途茫茫。從現在起，吃飯就吃飯，睡覺就睡覺，走路就走路——把覺知放在腳底，心無雜念，全然地走，你就會發現，真實地一步又一步，身體開始與大地緊密連接，無論你走到哪裡，都是無邊無際、無念無憂的淨土。

征服世界不難，出國環球旅行即可；征服自己也不難，全然專注地走路即可——這就是愛因斯坦啟動靈感、六祖慧能沉澱智慧、泉重千代長壽一百二十歲的祕密！

將心比心，是擴大自己價值到無限的祕訣！

湯瑪斯．霍布斯說：「一開始問這個世界是有限還是無限的，我們的心裡就找不到一樣東西，可以相應於這個有聲音的世界；不論我們可以想像出什麼東西，那東西都是有限的。

如果我們把自己視為單獨的個體，就像一個海浪無法享有整面大海的浩瀚起伏，一片樹葉無法召喚整座森林的風雨；當我們擴大心量到無限，所有的人、萬事、眾物都包含在自體的範圍中，孤獨感消失了，競技場也不必留下，對立叫囂的拒馬與壁壘分明的階級，都可以和平移除。

人類雖有膚色之別，但生命是沒有國籍的，都是來自同一條血脈。慈悲沒有敵人，自他交換，善解人意，就能讓戒慎恐懼的高牆倒下；有容乃大，我們夠開闊，就能讓生命展現多元的風貌與驚奇！

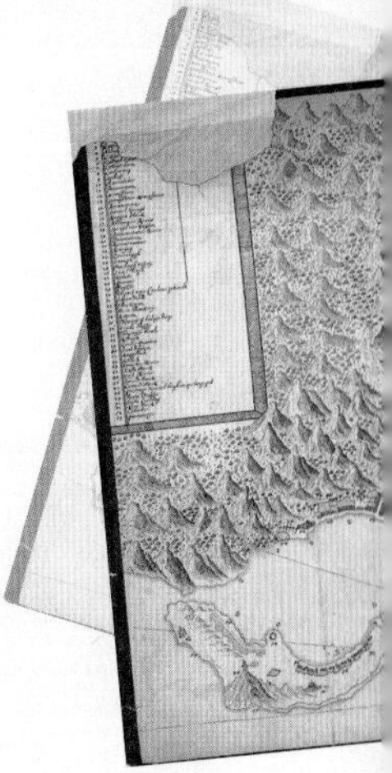

無懼無束，「成為完整自己」就是最大的自由！

印度智者說：「自由，在需要說『是』的時候，能夠說『是』；需要說『不』的時候，能夠說『不』……。從他處得來的自由並非真正的自由，去做任何你想做的事也不算是真正的自由，自由的定義應該是：成為你自己！」

成為自己，意謂著你得聽自己的聲音，對自己負責：做自己的嚮導，做自己的老師，做自己的好友，做自己的伴侶——不依靠任何人的資助或情感，就能百分百地心滿意足；不需要任何人的許可或肯定，就百分百地確定自己的方向與價值。

愛的反義詞不是冷漠，而是恐懼。恐懼讓人與人之間，有著看不見的高牆鐵壁，也是創造力最大的殺手——這個城市，盡可能地提供每個人身心安全的保障，沒有任何恐懼、顧忌、障礙，能阻礙我們的自由飛翔！

沒什麼比讓自己快樂更重要的成就了！

「人生沒有比愛自己、滿足自己、讓自己快樂更大的目的，你花在幸福快樂上的時刻越多，愛自己越多，放開自己的時刻越多，就越接近生命的神性力量，創造一切成為可能……。快樂，是存在的最高境界，你將活出人生最偉大的命運，你將實現奇蹟。」

人生最大的信任，就是相信自己內心的聲音；人生最大的自由，就是走自己想走的旅程；人生最大的富裕，就是心滿意足、別無所求；人生最大的創意，就是把自己活成一個萬能的造物主；人生最大的成就，就是讓自己幸福快樂。

快樂只在乎一心——只要臺北用心，你就有很多理由可以開心！

眼耳鼻舌身意的敏銳六感，創意體驗臺北的大千奧祕！

臺北，夢想、藝術、未來都在此大量流動——
這裡是知識與情報交匯的新鮮市集，
也是鮮活多變的異彩空間，宛如一本翻閱不停的生活巨書。
我們以細微的六感，
以鳥的視野、風的聽覺、花的氣息、茶的餘香、泉的觸感、人的好奇，
閱讀了這個精彩如夢的城市。

眼

人類靈魂在這個世界上，所能做的最偉大的事，就是能看事物。
看得清楚就是詩，預言和宗教合而為一。
——羅斯金《現代畫家》（引自《感官之旅》）

以藝術名家敏感之眼，創繪臺北異想七彩的美。
以電影導演深刻之眼，再現臺北生活故事的影。
以悟道禪師空性之眼，領會臺北日夜生滅的光。
創意事發第一現場，臺北市民的四張藝想地圖，
在這些地方，每天都有撞見藝術的幸運巧合。

【美】

我緊貼在形像上，
和它的尺寸完全一致：精確、和諧；
於是我便解決了「不足」
我親歷了想像的決定性昇華，
想像的凱旋……，
如同Rusbrock所說：
出現這樣一種交融，
它會使你快活得受不了，
甚至你會因此而化為烏有；
我稱之為移情。
移情就是難以言傳的快樂。

——羅蘭．巴特《戀人絮語》

藝術家佔據金融街道，潛入科技園區，
強行植入藝術狂想基因。
創意帶原者以百件藝術作品，
與萬人親密接觸，
特異美學在都會區中快速感染，
臺北瞬間突變。
每日每夜，每分每秒，
這個城市都在增生新的體態。
只要以初生嬰兒好奇的眼，就可以驚見，
臺北每一分一毫的細緻演變。
有了藝術，臺北什麼都有，什麼都不缺！

【影】

曾經有幾年，我幾乎每天都看電影，甚至一天看兩場。我的青少年時期，那個時候，電影就是我的世界，是我周遭那個世界之外的另一個天地……。我若是下午四五點進電影院，出來的時候讓我震撼的是穿越時空的感覺，兩個不同時間、不同角度之間的差異，影片內和影片外。我大白天入場，出場時外面一片漆黑，點上燈的街道延續了銀幕上的黑白。黑暗或多或少遮掩了兩個世界之間的不連續性，反之也彰顯它，因為它突顯出我沒有活過的那兩小時的流逝，在停滯的時間、一段想像的人生，或為了回到幾世紀前的奮力一躍中的忘我。發覺白晝縮短或變長了，是那瞬間的莫名激動。當電影片刻中下起雨來，我便豎起耳朵傾聽外面是否也在下雨。那是儘管我身在一個世界，但仍會記起一個世界的唯一時刻。電影，是我們一生的歷史。

——伊塔羅．卡爾維諾《觀眾回憶錄》

唐朝詩人李白筆下的：
「宴坐寂不動，大千入毫髮……
一坐度小劫，觀空天地間」的境界，
就在千年後的今天，
在臺北上千個影音空間中，
日夜上演。

虛實影音交晃，
臺北市民High嗑電影的耽溺地圖：
這裡是隨時補給靈感、
瞬間增加人生閱歷的生命市集。
各名目的電影節慶，
占滿了臺北市民一整年的月曆，
我們在各種精彩故事中興奮地趕場著，
活在臺北一天，
就是好幾輩子的人生如戲，世事如棋。

【光】

無量光、無邊光、無礙光、無等光、智慧光、常照光、清淨光、歡喜光、解脫光、安隱光、超日月光、不思議光。

——十二光佛《無量壽經》

夜光，
是夢與黎明的距離，
是城市點石成金的魔法，
讓晚歸、不眠的夜行者，
有著沿街醉看璀璨金迷的風情；
讓正在觀景露臺上冥想的詩人，
一晚就能頓悟明滅無常的生命奧秘。
有光，才有世界；有燈，才有夜生活：
臺北二十四小時都醒著，
只要找到燈亮的地方，
就有繼續流連忘返的藉口。

耳

神給人兩隻耳朵，但卻只給一張嘴，讓他聽的事物是說的兩倍。

——斯多噶學派哲學家艾皮科蒂塔（引自《感官之旅》）

楓香、林溪、聽天籟。
講古、謝天、誦禮樂。
擊鼓、武動、打禪音。
前衛、驚奇、動舞波。

【天籟】

幾千年來，氣息或風進入一片木頭，
使之充滿生動的呼喊……。
聲音一直使我們著迷，
它就像生命的精靈，
穿透人的整個身體，
彷彿我們能把氣息吹入樹木，
使它們說話。

——黛安．艾克曼《感官之旅》

蛙的狂鳴、魚的呢喃、鳥的高歌、
樹的風哨、溪的潺聲，
整座大自然劇院，
不需要任何一位指揮就能琴瑟和鳴，
靈魂的低谷，在此瞬間就可以豐富充滿。
很感謝在臺北很多地方，
我們還可以隨時收聽到：
生生不息、眾聲交響、
誰也無法複製的原音天籟。
以敏感的耳朵，
畫出四張臺北的聲音地圖：
盡可能地，把生命中最寶貴的假日早晨，
浪擲在這些天籟村之中吧。

【禮樂】

興於詩、立於禮、成於樂……
禮樂不興，則刑罰不中，刑罰不中，
則無所措手足。

——孔子《論語．子路第十三》

講經說古、禮樂謝祖、敬神知命……，
改朝換代，物換星移，
千來以來唯一不變的，
就是禮教儀樂之舞，
還繼續繞樑，不絕於耳。
在這條延續歷史、
繼續活躍的文化血脈上，
後代繼承了仰不愧天，
俯不怍人的古國氣度，
我們與古聖先賢的氣息依然相通，
千年智慧傳承的禮樂古音，
都還留在這條血脈臍帶上、
所有的諄諄教誨，
還活在我們的呼吸之中。

【禪音】

宴坐白雲端，清江直下看。
來人望金刹，講席繞香壇。
虎嘯夜林動，鼉鳴秋澗寒。
眾音徒起滅，心在靜中觀。

——劉禹錫《宿誠禪師山房題贈二首》

禪意的鼓音穿透身體，
整個人起了樂器般的共鳴：
與佛相會的殿堂，
小我融化在浩瀚神性的喜悅之中，
永不匱乏。
當靈魂真實地返回內在，
長期麻木已久的感官都甦醒了，
像是在激瀑泉源之中，
每個聲音起滅，都變得更清晰明淨。
在這些體悟背後，
感知到是誰在呼吸、誰在感覺、
誰在思考，
誰透過這些感官在體受生活
以擊鼓禪音探索內在的旅程，
於是，
身體開始了接連不斷的驚奇。

鼻

嗅覺是無所不能的魔法師，能送我們越過數千里，穿過所有往日的時光。果實的芳香使我飄回南方的故里，重度孩提時代在桃子園中的歡樂時光。其他的氣味，瞬息即逝又難於捕捉，卻使我的心房快樂地膨脹，或是因憶起的悲傷而收縮。

正當我想到各種氣味時，我的鼻子也充滿了各色香氣，喚起了逝去夏日和遠方秋收田野的甜蜜回憶。

——海倫・凱勒

心想事成，有願力的佛堂香。

不藥自癒，有療效的芬多精。

活化身心，有能量的森林浴。

【佛堂香】

獨坐禪房，瀟然無事；烹茶一壺，
燒香一炷；看達摩面壁圖。
垂簾少頃，不覺心靜神清，
氣柔息定，濛濛然如混沌境界……

——陸紹衍《醉古堂劍掃》

佛香、藏香、檀香、沉香……
點一炷心願，隨煙送上天。
人誠心祈天、佛無私愛人，
很溫暖的人神介面，
沒有比這樣更令人感動的情景了。
身心俱疲時，
這就是瞬間點燃希望的殿堂：
我們在有歷史的空間裡，
進行一場場與上天的秘密交易。

【芬多精】

絲毫不畏懼為我們提供強身壯體的精華、鎮靜安神的芳香、溫和滋補的林木貢品，
從中我們可以學到很多東西……，
那裡挺立著婀娜、
高大茂密的山毛櫸樹，
岔開的樹葉僅僅留住了
在灌木中的幾縷光線。
我們可以追隨輕快的思想，
一直攀援到樹枝的高處……，
樹木在樹枝的大量祭品中亭亭玉立，
悠閒安詳……，
它與我們的生活截然不同，
彷彿那是取之不盡、用之不竭、
看不見、摸不著的儲藏。

——普魯斯特《恍若月光》

餘暉樹林的光影，在微風的鼓舞下，
逕自在葉縫間跳舞。
鳥鷗的低空飛翔，溪水的流動生態，
我們是第一線目擊者。
樹林剛出爐的新鮮氧氣，
重新喚起嗅覺的喜悅。
相遇在美景之中的身心，
邀請微風、樹香、鳥鳴、水聲、光影……
一起慶舞，
這裡就是廣納天籟靈氣的美麗殿堂。
黛安．艾克曼說：
鼻子裡的神經原，每三十天就該換新。
芬多精是天然的鎮定劑，是氣體瑜伽，
能夠不藥自癒，以歡愉取代病痛，
讓你的每一口呼吸，
都能重新領悟：活著是可喜的。

【森林浴】

我發現自己已經享受到來生。
我像一片樹林，經過多次的砍伐，
而新長出來的枝條，
不但比舊有的更有活力，
而且高聳入雲。
豔陽給我熱力，
土地供應我豐富的漿汁，
天堂給我亮光，
讓我預知未來的世界。

——雨果

在森林絕跡，綠色快速絕滅的城市，
念舊的自然愛好者，
以一區區的綠地、一座座的公園、
一個個的盆栽、
一束束的花藝……
光復上天原本賜給我們的綠意盎然。
這些近在咫尺的綠地中，
整面青翠，就是造物主最奢華的留筆，
走出家門，走出辦公室的冷氣房，
找一棵免費蔭涼的美麗大樹，
臺北城中最難忘的林卉排場，
回到山居歲月：
觀山、入山、聽山、聞山、淨山、養山、
習山、祭山、頌山……
花草與綠壁間的香氣，
讓每一口鮮澈的呼吸，
都是最感動的恩賜，
二十張增加帶氧量的森地道圖，
你將與山有好幾場極美的會面！

舌

味蕾的名字，來自十九世紀德國科學家梅斯納與瓦格納，
他們發現味覺細胞層疊在一起如花瓣般，
每七到十天，味蕾就會汰舊換新。
我們的味蕾只要食物中有兩百分之一是甜味，就能嘗出它來；
我們也可以品嘗四百分之一的鹹味，十三萬分之一的酸味，
但只要有兩百萬分之一的苦味，我們就會知道。

——黛安．艾克曼《感官之旅》

黃金曼特寧，以咖啡因熱戀西方的味覺。
貓空鐵觀音，以禪茶香挑起東方的味覺。
夜市蚵仔煎，以家鄉味回溫傳統的味覺。
道地風味餐，以異國餐奢享時尚的味覺。

【咖啡因】

阿波羅十一號上的太空人，在降落月球的三小時後，隨即喝起了咖啡……

——大衛．考特萊特《上癮五百年》

梵谷在咖啡杯裡撫平焦躁，
伏爾泰在咖啡館寫百科全書。
盧梭在咖啡廳裡高談闊論，
德穆蘭站在咖啡桌上揭起法國大革命。
咖啡是自由的、浪漫的、激情的、
悠閒的、安詳的，
它隨著靈魂的屬性改變情緒。
一個城市的文明史，
從咖啡剛煮好的氣味開始。

【禪茶香】

茶，
香葉，嫩芽。
慕詩客，愛僧家。
碾雕白玉，羅織紅紗。
銚煎黃蕊色，碗轉曲塵花。
夜後邀陪明月，晨前命對朝霞。
洗盡古今人不倦，將知醉後其堪誇。

——元稹《一字至七字詩．茶》

除煩．安神．
消食．解毒．發汗
潤肺．滋腎．明目
生津．益思．延壽
一壺茶，
整個身體，全間禪房，
都清淨了。

【家鄉味】

梅耶寫食譜，其實未必是機械式的單調筆法：筆尖不小心常會開溜，去回憶母親，或是幼時在家幫傭的一個廚子。食譜的滋味，遂往往味在舌尖而意在言外。

——林文月《飲膳劄記》

在這裡，
每個人都會想家：
想到媽媽的家常菜，
想念童年巷口老店師傅的廚藝。
還好！
雖然長大搬離家多年了，
這些美味還在，
三條老街，把歷史的美味都留下來了。

【異國餐】

人生是一場自己掌廚的宴席，
要甜、要酸、要甘、要油、要淡，
自己能選擇，也要能調理。
做壞了，有機會下次再試；
做得好吃，也是一場腸胃盡歡的喜緣。

——徐世怡《流浪者的廚房》

省去高額旅費，
以虛擬的三萬五千英呎的距離開味，
除去語言的隔閡，遠道而來的廚師，
以道地的美食直接感動你的靈魂：
星期一　頂級霜降和牛肉、金菇肥牛烏冬鍋
星期二　香烤紅咖哩羊脾骨、印度香料奶茶
星期三　茴香麵包、西班牙海鮮飯
星期四　月亮蝦餅、泰式酸辣鯧魚
星期五　希臘紅酒燉牛肉、
　　　　巴卡拉法千層薄皮蜂蜜甜點
星期六　甘南草原火燒蕨麻豬、西藏酥油茶
星期天　法式牡蠣交響曲配上龍蝦慕斯、
　　　　于那神父粉紅香檳與覆盆子甜果
全球的美味，都搬到這裡了——
以一雙緊追著美味的碗筷，
繞著地球吃。

身

我們的皮膚是種太空裝。
介於我們與世界之間，囚禁了我們，但也給了我們獨特的體型，
在必要時自行修補，也不斷更新自己。
在大多數的文化中，它是用油彩、刺青和珠寶裝飾的最佳畫布，
但更重要的是，它容納了觸覺。觸覺是我們最先開始，卻最後消逝的知覺。

——黛安．艾克曼《感官之旅》

在溫泉裡，疲憊的身軀被溫暖地呵護著。
在水岸邊，困頓的心靈有了風箏般的自由。
在夢幻中，想像力已經徹底征服了地心引力。

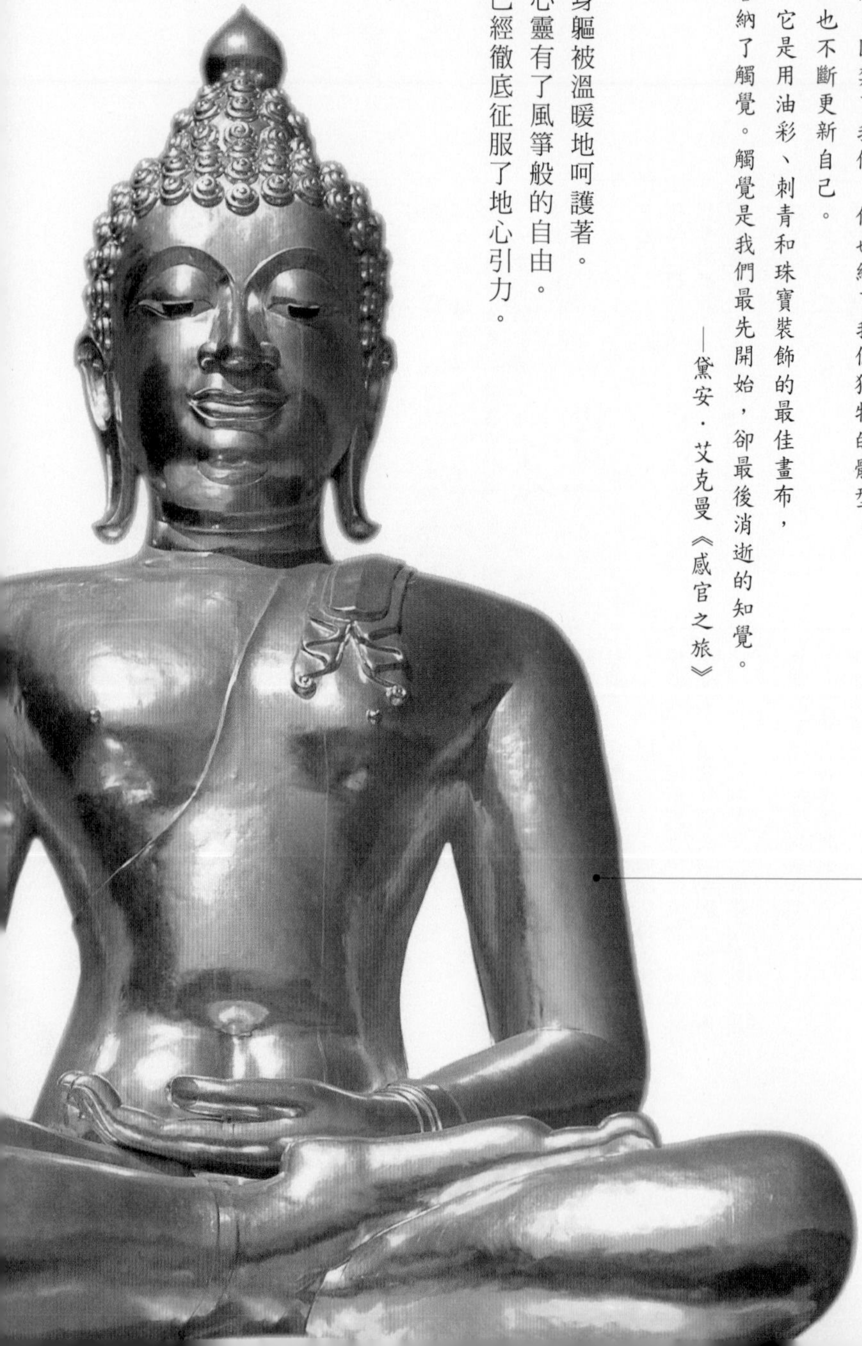

【溫泉】

寥抗洪爐靜，天心熱地藏。
將予溫氣息，洗被冷肝腸。
山映清波靜，花飛流水香。
春沂歸浴後，吟嘯若為狂。

——單乾元《西嶺溫泉》

身體在溫泉底，
放鬆地享受自己的體溫。
心震盪在大自然的音禪波動之中，
與久違的自己相遇在寧靜的美景裡，
獨處愉快。

【水岸】

文章不療山水癖，身心每被野雲羈，
竹影掃階塵不動，月輪穿沼水無痕，
水流任意境常靜，花落雖頻意自閑。

——陸紹珩《醉古堂劍掃》

一條水岸，就是一卷文明史。
日出洗滌，日落暈染，
一天晨昏，就是一條河的生滅。
就算什麼都不做，
一如悉達多駐立在河邊，
端視著、沉思著、傾聽著……，
就能頓悟大河正要說出的：
一切大千奧秘。

【舞波】

她總是輕披薄衫，全身貫注地舞。
彷彿古代的廟堂祭司，以身作祭，
將最聖潔的身體獻給天地宇宙及神祇。
就像鄧肯一樣，
她以幾近赤裸的身體宣示：
身體是聖潔的，也只有聖潔的身體才
可以起舞天地，為宇宙作祭。

——陶馥蘭《身體書》

音樂與燈光持續加持能量，
所有的身影都虎虎有風，
整個儀典傳動成有武力的場域，
震憾每一位心神。
動的是身體，
時而剛烈揮拳，時而優雅太極，
時而吆喝飛騰，時而溫柔起舞，
所有的雜念情緒被離心力遠遠地拋開，
靈體當下成了光與愛的旋轉殿堂。
舞者自夢的簾幕中悠悠地走出，
走進美麗的恩典之中：
我們在神的水準視野線上，
端詳每場人生如戲的奇蹟。

【夢幻】

請求你，暫停一下，
在這個區域散個步，
也許你還可以拾取幾顆心，
加入你的收藏行列。

——斐德里克·柯雷孟《巴黎情人》

只有神話，才可行在空中。
只有童話，才會潛入心底。
只有想像力，才能脫離地心引力。
這個城市，已經有好幾條：
捨棄地平線的夢幻路徑，
愛麗斯夢遊仙境的創意走法，
用想像力幫自己找出口。
只要你的好奇心還在，
就能體驗天神走在雲端、
兔子鑽進地道的移動樂趣。

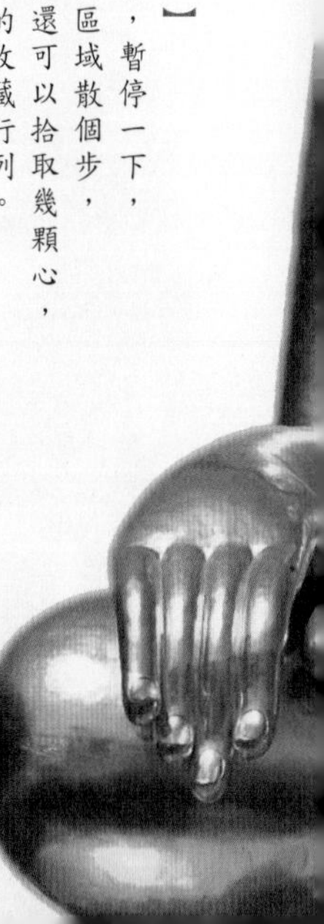

意

我已經畫好了我倆的一統輿圖，四方經緯交給你畫。
我已照我的想像畫生了珍異百獸，物種子裔由你繁衍。
我已定了新的天候時令，曆法祭儀由你來設。我已定朝夕，你來定時刻。
我已定方圓，你來定度量衡。我已畫圖騰信仰，請你定人間律法。
我已安排天雷地動，各地方言由你來傳述。
我已開天闢地，請你定百官體系。
請你找史巫收集我和你的神話、傳說、野史軼事，
請按時紀事，讓他們從我們開始寫歷史。
我已政教合一，請你找世襲傳承，因為你主宰全天下一半的血源。
我則不再問世事。

——李欣頻《愛欲修道院》

讓古蹟復生，我們就有無限延長靈魂史的新時空。
在藝文現場，我們有了繼續演化好奇心的實驗室。
以全球視野，我們看到了哥倫布沒發現的新大陸。
循科技未來，我們提前探索奇幻大千的明日世界。

【古蹟復生】

那時，
我們躲在被窩裡玩手電筒，
在腦袋裡，
照射出各式藏寶地點，
並在塵封的角落發現，
我們的史前。

——羅智成《寶寶之書》

歷史從未被遺忘，只是你錯過了。

當年紅極一時的浪子已老，
人依舊粉墨登場，
從未有任何一個人在戲中消逝，
只有不斷復生。

在歷久彌新、積累著文化厚度的
古建築裡，
在沒有鐘的舞臺上，
舞者用比回憶更慢的速度，
說著我們快要遺忘的故事。

我們向歷史繼承，
這些還說著故事的老空間：
把上個年代傳聞中最美好的經典，都帶回
這個現場。

【藝文現場】

美是一種選擇，甚至是一種放棄，
而不是貪婪。
當許多東西在你面前時，
你要有一種教養，
知道自己應該選擇其中的
哪幾項就好了。

——蔣勳《天地大有美》

魅力，來自藝術的首度引用權。

一條軸線，決定了靈魂的移動慣性：
藝文活動表左右著我們的日常作息，
連喜好都跟著風向改變。

在藝文活動的高度集散地上，
剛上岸的國際級展演，
供我們第一時間採集，
關於神話的、幻想的、正鮮活的靈感。

而這些，就是生成個人美好品味的元素。

【全球視野】

有時候，我會嘗試將自己放在地圖師的位置上，遠眺會激起一種懾人的驚奇感，彷彿空間確實是無限的。這項召喚對我們所有人而發，要我們去參與一個高度想像的事件。在我的斗室裡，觀念有真正合流的可能，因為我的看法很輕易就和訪客的看法融在一起，我們利用對方的經驗，一起將這些線索編織起來……

——詹姆士．考恩《地圖師之夢》

我們找到一處和平共用情報的時空交界，
每一場音樂、儀式、狂歡、享樂、消費、
美學、意識、感受、記憶、衝動、聲音、
自由、靈感、夢、遊歷、期待、進化、
希望的發生，
都沒有時差。

數位新生的城市感官系統，
強化我們與外界的資訊連接，
以最高速精準的未來
同步排練出：
完美地球村聯盟的種種細節。

【科技未來】

如果能以逸代勞，坐在椅子上就能雲遊四海，又何必四處奔波在地面上，一個下午才能走完的旅程，此時，只要眼球一溜轉就到了。

——艾倫．迪波頓《旅行的藝術》

夢想大興土木，科技打造文明全盛期。
在已經實現的虛擬世界裡，
有最寬頻的遊逛步道、
超大容量的流行情報檔案庫、
最真實的生活遊戲介面，
讓我們以滑鼠創世紀，
同步發展出：
完全不同版本的自己！

未來，
就是完成極限，
讓想像全部變成真實的時候。

「精工禪」首座現代未來式的建築新概念

神戶六甲、大阪星田共有城市、神奈川綠園都市、福岡香椎……
日本正漸漸形成一種新的居住思潮，
一種更生態自然、科技手工、簡素禪定的住宅趨勢。

這樣的趨勢，我們為它下一個專有名詞，
就叫做：精工禪。

尋得一片上善之地，全力實現多年的夢想，
為臺北內銷創建一個：不可思議的完美型別墅「上善若水」
因為很未來，所以讓現在正在使用那些空間的人，
多了一份提前使用未來感的驕傲。

建築師已經把「時間」、「生態」、「節氣」、「態度」、「慶典」、「故事」……
這些概念設計進去，
所以歷經朝夕或朝代的更替變動，
仍可保有難得的居住安定感與驚奇感。

「上善若水」根據日本建築居住實例，匯整出「現在未來式概念」的四大元素：
「地」、「水」、「光」、「空」四各設計概念，
來闡述「精工禪」生活哲學的各自面貌——
有未來概念的日式精工禪庭、挑高十三・八米天窗內庭、
六進式前中後院、日式護家錦鯉運河、櫻木花道、東京K-MUSEUM蘆葦燈海……
融入精神文明的前衛時尚，
與老師傅苦行僧的躬親精神，在建築業幾近失傳。

這座耗費極大的時間與腦力而規劃的別墅，要讓每個在這裡的住戶，
有著住在國際知名建築作品裡的驕傲！

一生一棟，終極別墅，
上善若水，臺北市最頂級的精工禪庭電梯別墅，
一生最好的一棟，只有十四戶！

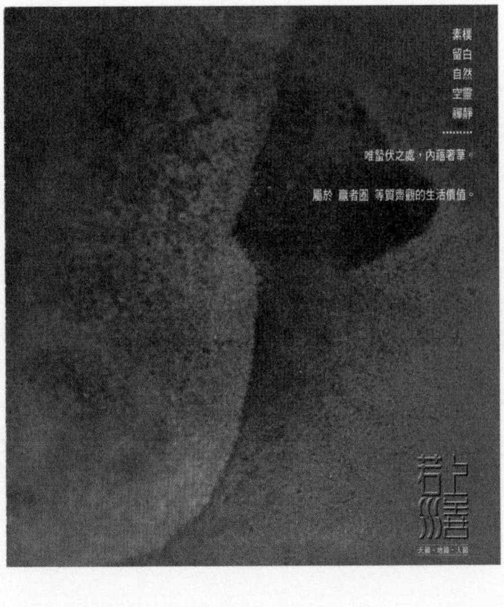

地

天籟，人籟，地籟，木石與清水模的低調奢華生活場

大呼吸的生活・健康生態的住宅，與山光水色共振・與自然通靈

建築師發現造物主創大天地山水、自然世紀之奧秘，於是臣服。

建築師不再對自然做無理的要求，而是退讓更多地給自然，與之共生。以綠意之公共空間與住家的庭園縫合無隙，這是由大自然自己形成的建築型態，有序與無序之間調合得如此無懈可擊，御自然與人文的法度，渾然天成。建築師考慮自然與人的關係、山與露臺的關係，讓人可以隨時呼吸到山，呼吸到風，呼吸到樹，呼吸到雲，呼吸到水，給予人與自然充分交流與眺望的空間——這是有健康概念的別墅。也正因為把人從密閉的建築中釋放出來，所以世界變大了。大自然贈予人們更寬廣的公共生活，因此重建人與人的倫理關係，重建人與家人的親情關係，重建自今以後的生活態度。

此外，建築師之所以熱愛清水混凝土這樣的建材，就如同日本名建築師安藤忠雄一般，在對大自然環境的充分省思後，考慮自然與現代相融的新關係，選擇低調極簡、自然卻又有禪意的清水混凝土，展現建築的低限美學。只有清水混凝土才有「外在樸素、靜定且不動聲色，但精彩卻盡在其內」的獨特氣質，所以「上善若水」以清水混凝土做為基材，呈現低調奢華的生活氣質。

綠地無障礙共有・情感自由通行・戶戶前中後院・教會你沉潛的房子

日本建築師版本一成在大阪所規劃的星田共有城市（Common City），以縫合綠帶、綠意無障礙共有的概念，規劃出「生活場」的居住空間，並以新世紀的科技手工藝，精工打造獨特的弧形屋頂，讓家家有個與自然天雲對流的仰角視野，讓戶戶有個流線型的未來形外觀，有音樂律動感的天際線。

建築師山本理顯，在距離東京五十分鐘車程的神奈川綠園都市，實現了所謂「細胞都市」的概念，以自由通行的街、連成一氣的屋頂、橋、廊、梯、廣場之美學結構，串出更和睦的鄰里空間。

世界知名的建築師遠藤剛生，在西宮名鹽集合住宅中，更是以景觀階梯、雕刻廣場、行人步道、斜屋頂住宅，與自然生態完美地結合，整體以灰、黑、白的低調奢華，形成一座很有氣質的未來式村落。

福岡國際中心，建築師Emilio Aabasz慷慨地把地還給自然公園，將噴水與相連流的水池融成一體。

這幾座聞名世界的集合式住宅，建築師必須巧奪天工地把自然與人居一體設計，就像建築師Jon Jerde所規劃的博多運河城，以現有的星、月、日、土、水等元素，創造出星庭園、月步道、日廣場，地之行、海中庭……，宛如上帝的新版創世紀，住在裡面的人都有用不盡的幸福生活。

「上善若水」，繼承這些偉大建築師的夢想，把家空間留給前、中、後院，邀請花與樹一起參與私密的居家生活：餐廚延伸到後院、客廳望出前院、主臥房浴池就在中院裡、露臺成了房間與戶外新鮮空氣對話的場域……多進式風格景觀空間，把花草水聲放進房與房之間，大小生態錯落，層層景觀、轉彎都是令人駐足凝視的視點，走在家裡像是在夢遊仙境一般，讓主人有機會重建夢想中的花園、孩子的綠意童年、與愛人的伊甸園、全家人的快樂園，每天的生活立即舒壓，與世無爭，自然沉靜。

在櫻花林道下喝日式煎茶、品嘗和菓子、在花園邊烹調、烤肉、用餐，每天都找得到慶祝生活的理由和地點，為家創造出一個靜心禪定的美麗後視野，亦可成為親情與香味交流的烤肉區……這是一個每天有節慶、有童年、有野趣、有故事的家環境，如老子的無為，看似雲淡風輕般低調禪意，卻在幕後灑下精工之筆，無盡而高明的思考、推演，為佈局往後生活情境預留伏筆，讓居住者透過建築規畫、配備選材，與環境產生良好的互動；在有限的空間，沉潛於無限無邊的生活真味，展現大自由與大自在。

與周圍生態打好關係、與自然打成一片的房子，自律精煉，構成最大氣度、最上乘的建築氛圍。戶戶的前院，與公共空間的中庭，連成一個有層次的整體綠野，成了「建築的自體廣場化」，讓住在其中的人，可以透過在空間中自由地爬升、連接、轉進、暫留的過程中，盡享各個轉角景點的耳聽、眼觀、鼻嗅、足觸等不同感官感受，一如莊子所形容的：有星有鳥的天籟和氣、有水有風有樹的地籟和聲、有歌有情的人籟和諧。這是一個經過有機設計的環境，日久彌新，八株臺灣稀有珍貴染井吉野櫻、御三家頂級錦鯉、飛驒古川護家運河……。日式精工禪別墅，在「上善若水」十四席浮島莊園中，完美實現！

建築師為房子鑲上名牌，生活瞬間成了藝術作品。

住在知名建築師的作品之中，除了享有自己的家登上世界知名建築設計雜誌的榮耀之外，生活在其中的點點滴滴，也被建築師大處著眼、小處著手的設計細部而感染氣質，每天的日子就是與藝術級建築互動的成果。

當自己的家族住宅成了當地的地景地標，於是住戶可以在尊貴的紅銅板上，得意地刻上自己的家徽，在外牆上題家譜、家訓、或是誓言，賦予這棟天生美好的住宅，一個永遠的姓氏與個性。

水

上善若水，水善利萬物而不爭

「護家錦鯉運河」的新家幸福配備

老子云：上善若水，水善利萬物而不爭。良好的建築規劃，應是自然而謙遜的態度。

就像老子的「上善若水」，學習像水一樣，涓滴長流、方圓依物、曲直隨形，儘管歷經冬凝夏融之後，隨風潛入，潤物無聲；「水」總是展現最貼近地面的謙遜態度，順應自然，而與世無爭。久居其間，心胸自然深澈澄明。

從此有了景

日本岐阜縣古川町的飛驒古川，本來只是一條在住家外的一條小水道，但後來經住戶及許多善心企業團體們共同努力，修整成了寬一點五公尺，長三百五十公尺的小運河，放養了三千二百三十條彩色錦鯉，讓本來無生趣的水，成了有呼吸的河。而這條小運河，也剛好成為住戶的護家運河，宛如一座獨立在水上的浮島莊園，以橋與外界連接。

這條小運河不只有魚，沿岸還有小橋、欄杆、座椅……。於是，這條飛驒古川不僅成了離住戶最近距離的美景，隨著春夏秋冬的四季變化，更有花、樹、雨、雪等氣候情緒，活化了這條運河。

此外，住屋可以一比一等比例地，倒映在水面上，所有的美都雙份複製成上下對稱。若光線合適，水光粼粼反射到外牆上、反射進屋裡的天與地空間，那整個家就充滿超現實的變化光影，住在其中也變得有趣極了。

水氣的循環，讓空氣更清新；水流的潺潺，讓心情更靜涼。所以飛驒古川成了許多到岐阜縣的觀光客必來參訪、輕聲拍照的景點之一。

從此有了節慶

一九九四年七月十四日，東京三得利音樂廳舉辦了「飛驒古川國際音樂節」，正是演奏作曲家武滿徹以飛驒古川為靈感的曲子《精靈花園交響曲》；甚至於一九八九創設了「飛驒古川音樂大獎」，活動仍年年舉行至今。

以前日本流行有水瀑水舞的房子，現在飛驒古川更提升至哲學層次，創造一個源源不絕的水生態——這條從水道變運河，然後有魚、有景、有態度、有故事、有靈感、有音樂、有節慶……住戶之間也因為有了這些魚的情感串連，而有了共同的人文榮耀與精神歸屬。飛驒古川從一個默默無聞的小鎮，創造成全世界矚目的焦點，其過程讓許多人非常感動與激賞。

古川町因此榮獲「故鄉營造大獎」。這是一個讓住戶集體參與生活記憶的成功案例。

以水生態循環守望和睦的鄰里精神，共塑富而好禮的人文榮耀社區

建築師十分喜愛飛驒古川的意境，於是在「上善若水」打造一個水生態，鑿出一條小河，從我家流到你家，有小橋、有錦鯉、有水影，從此，我們每天都有新鮮的風景故事可說——醒來看著這些美麗的錦鯉從自家門前游過，就像是很多顆浮動的寶石在水中，活著，成了最大的恩典。這將是一個以水生態循環守望和睦的鄰里精神，讓住戶集體參與生活記憶。

這是一個有情感流動性、未來型村落。

御三家頂級錦鯉，水中浮動的寶石、遊戲在染井吉野櫻如雪般的落櫻繽紛

當這條水道成了風景，讓錦鯉有個最潔淨的生態以贍養。這些魚甚至都有了自己的名字、個性、生活點滴，也繁養了自己的家族，住戶就一一成了這些魚的觀護人，也是魚嬉戲游水的現場觀眾。

無重複、獨一外貌的錦鯉，要特別細心照護，得隨時注意水的溶氧量和水溫……。不過錦鯉的美，就像是在水中浮動的寶石，也是一個令人期待，會生長、會變化、令人隨時驚豔、體態優美、深具內涵的活藝術品。更重要的是，錦鯉必須活在乾淨無毒的水質之中，所以它們也成了家的守護神，隨時幫住戶監督環境，以確保每一個人的健康平安。它平均年齡七十至八十歲的長壽，可與家人的感情長長久久，它會辨認主人的腳步聲，宛如家中的一分子，這也難怪錦鯉在日本被視為可以帶來福祿壽的吉祥動物，因為只有牠們可以先幫主人擋災。而且，據過去的統計報導，養錦鯉的鑒賞家，即使到了老年依然耳聰目明，可見錦鯉的確是個有益人身心靈的生活好夥伴。

光

天，地，水，然後有了光，東京愛情故事的光纖蘆葦燈，在家門前！

有水映影的房子，有整片光奇蹟的環境

上帝創造了天、地、水。
黑暗籠罩，分不出天、地、水何在。
祂說：「讓這處有光」。於是便有了光。
光便一閃一閃。
祂不滿意。
不要這種光。
光於是停止亂閃，自我改進，然後就成了暖瀉大地的煦煦陽光。
黃昏來過，破曉來過，
終於滿意了，這就是第一日。

風動蘆葦燈，科技許諾的夢幻光景燎原，人間少有的異次元之美

東京近郊的K-MUSEUM，種下一百五十支四點五公尺高枝光纖蘆葦燈，等天垂下黑幕，全燈點起，隨風飄逸，就像在浩瀚星空下，一整片人造星海，一整片科技許諾的夢幻光景，一整片碎鑽亮醒的夜景，就像是迫降在地球的太空船光，有一種人間未曾見過的異次元之美。

蘆葦燈任由風吹成隨意的形狀，光傳遞風的情報，成了風的光廊。看蘆葦燈飄動的姿態，就知道風的方向，依風向可以預言夜空的景象，光的流體成了星空下的奇蹟風浪，這裡就自成了一個幸福的星系，與世隔絕。所以K-MUSEUM的蘆葦燈海，就成了日本偶像劇求婚的浪漫場景。

這作品獲得一九九六年國際照明大獎。

現在，這些太陽能點燃的纖維光波，將首度移植到臺灣來，即將在「上善若水」中，瞬間亮起燎原的驚豔，就像大自然給予科技美的力量，有如隨風起舞的光草，揮灑著草書之美，但又不失其自律性，一整夜美的意志力十分驚人。

風觸感，浪棱線，光亮體，對位激盪出來的動感與感動，虛擬夢現實。希望與祝福徹夜亮著不打烊，新神話在「上善若水」裡重新發光源。

空

懂得割捨，懂得留白，懂得放下，十三點八米採光內庭，懂得空的最高禪意

光之內庭・水之螢幕

建築師Steven Holl在福岡香椎，以許多空的空間，組合出有變化、有穿透性的延伸端景；半戶外的中界空間，人與自然景色可以隨時自由地交流。他設計出一個精彩的光之內庭，讓天水成為所有人注目的螢幕，水借光反射波影照入建築內部，多種生活視點在此彙集。一如他在千葉縣幕張十一番街的集合住宅，有反陽之家、幻彩之家、水映之家、青影之家、落柿之家、無空之家。一個光之內庭，就讓每戶人家有各自的詩意氣候，Steven Holl可謂是建築詩人。

同樣在福岡香椎，另一位建築師Rem Koolhaas Block則設計一種空的內閉空間，私藏著風格庭院，有波浪型屋頂，可窺天望景——虛實對話，動靜之張力，猶如紙張的拉扯，形成一種隱喻的平衡，自體完成建築本質的自證。空間關係可自由涵構調整，所以形成了多樣的創意生活模式。

安藤忠雄亦在大阪心齋橋的Galleria Akka，以清水模的低限度美學，將內部挑空成天井，將有限的空間，透過多角度的視點，延伸成無限寬廣的意境，將素淨無華的住宅，與自然通氣無礙，形成一種「內聚型仲介空間」天井與各個居住空間深奧的對話與回應，像是這個建築永恆不變的開示，一種無法捕捉的空禪意，一種不可說的精神美。

有天窗，形成有趣的三合院空間

建築師創造天、地、光、風、水，創造一切，還創造了「空」，這個最高禪意的生活哲學。於是在家上方開一扇天

窗，所留的挑高十三點八米採光內庭，可以望天望星，收納風雨彩虹光影，成為自家的私藏風景。每個房間隔著落地玻璃，互成了有趣的三合院。這樣的採光內庭置於居家空間之中，家人的距離，可以隔著景觀互相關照，卻又不會互相打擾，像是住在城堡中，可以從這個房間隔著花園望向對面的房間，生活多了窺望的焦點劇情。家人可以透過落地窗，以表情隔空示意，形成了這個家有向心力的凝聚場。

這就是日本知名建築師安藤忠雄「內聚型仲介空間」的理想。

把禮拜堂或佛堂崁在中心的創意家藏館

挑高四層樓的天井可以有天窗，向光向藍向日月星辰，成了另一種次元空間，一種容許創意與個性的異境，像是一個與夢想平行的宇宙系。

天井可以引陽光、彩虹、風、露雨水進屋，成為家中變幻無窮的自然光影風景——這是一個有氣候、有脾氣的居住城堡，讓人可以依四季節氣而生，這是人在自然之中，最大的舒服尺度。

稀有挑高十三點八米天窗內庭，在採光天庭裡可擺設成自然庭院、生活禪庭、私人動物園，設置一個私家禮拜堂或是挑高禪修佛堂，收納風景、信仰，或是陳列個人收藏品，擺成一座自家博物館。如果狂野一點，也可以將這天井裝置成每天挑戰攀岩的高牆，或是挑高視聽Lounge Bar，或是蝴蝶生態館，或是看星雲與流星的私家天文臺，或是獨唱歌劇拉琴的音樂舞臺。

「空」是在「地」、「水」、「光」之餘，最高段的建築手法，留龍脈的氣與風在此對流，運轉家與天地相連的好風水。於是，這個畫龍點睛般的天井，讓理智的建物，設下感性的留白，像是房子的潛意識，讓住在裡面的人有著空性冥想空間，心之四方，皆有美，皆有所愛。

二〇一五年大悅城・愛的宣言式

終於找到一個
能大聲表達愛
卻完全沒有風阻的地方！

相見總是恨晚，
示愛永不嫌晚！

午夜夢迴的迷戀，
到今天終於有了：
驚人的表述能力！

讓我們像孩子一樣，
童言無忌地喊出愛！
讓我們像初生之犢，
無畏無懼大膽去愛！

有話不藏心底，真愛不留遺憾——
請以最有創意的話語
說出讓對方永生難忘的愛情表白
寫出一段讓對方感動到哭的卡片
用最出其不意的驚喜傳達你的愛

如果現在沒有情人，
請把這滿盈的愛給家人、閨蜜、
換帖兄弟、未來的情人、
或是給最需要愛的老人、孩子……
今天所見到的每一個人，
都是我們可以給愛、練習愛的對象！

大悦城
JOY CITY
上海大悦城
JOY CITY SHANGHAI
—12·19—
焕新启幕
魔都
爱情地标
终于找到一个能大声表达爱
却完全没有风阻的地方
SKY RING
地址：西藏北路166号(8/12号线曲阜路站1号口) 电话：021-3633 8833 WWW.SHJOYCITY.COM

在魔都的心跳區，
終於找到了一個：
愛情能見度最高、
可以大聲表達愛、
卻完全沒有風阻的地方——
大悅城，
邀請每一位有情人，
把我們的真情表白傳向四方，
讓每一個人都聽見愛的回音！

（活動文案）

天使行動車隊・攝獵真愛之吻

十月十九日起
大悅城派出最大規模天使行動車隊
四處捕獲全上海最甜蜜的情侶
把他們的吻，留在我們的kissing point
每一枚吻
都會化成一元的壹基金

幸福定格・愛情相館

我們還會裝配好一台
追蹤愛的移動照相館
現場採集最動人表情
紀錄每分每秒正發生
城市每一處愛的現場

二〇一五年大悅城・愛的宣言式

終於找到一個
可以保鮮愛情
卻永遠不會過期的地方！

愛情要保鮮，刀功要細膩，
相處要火候，忠誠原汁味，
愛情的可貴，
就是自己與自己所相信的東西
很靠近！

從我的真情
提煉出永恆的信物
送給你
讓我的愛陪你上天下海
陪你一生一世！

大悦城
JOY CITY
上海大悦城
JOY CITY SHANGHAI
—12·19—
焕新启幕
终于找到一个可以保鲜爱情
却永远不会过期的地方
魔都
爱情地标
SKYRING
地址：西藏北路166号(8/12号线曲阜路站1号口)　电话：021-3633 8833　WWW.SHJOYCITY.COM

我的誓言
比石頭更堅定
比鑽石更純淨
雖然地球上沒有任何一樣東西能代表我全部的愛
但只要你看到這個信物
你就能瞬間超越時空限制
隨時隨地連結到我們廣大的愛的訊息場
你就能記起所有
我們曾經發生過每一分每一秒的愛的細節！

十一月十九日，愛的萬物論
大悅城開始向每位有情人
收集愛情密度最高的信物
在戀情引力最強大的中心
把愛輻射到全城各個角落

二〇一五年大悅城・愛的宣言式

大悅城以三十顆巨鑽光芒的SKY RING
成功地圈住了二〇一五年以來最幸福時刻
十二月十九日就在全上海最活躍的心跳區
我們終於找到愛情永不落幕的浪漫場景

你正在尋找真愛，
真愛也正在找你，
你只需要走出來，
走到這裡被看見！

愛情所到之處，無遠弗屆——
我們邀請最能追蹤愛的氣息的藝術設計家，
為我們打造每天都能翻閱驚喜的愛情舞台，
以十六萬㎡的時尚、藝術、娛樂全跨界排場，
讓每一位有情人隨時進行壯闊的求愛盛況！

大悦城
JOY CITY
上海大悦城
JOY CITY SHANGHAI
—12·19—
焕新启幕
魔都
爱情地标
SKY RING
如果不是站在这里等候着你，
你怎么能看到我的痴情不移?

十二月十九日
大悅城以三十顆巨鑽光芒的SKY RING
成功地圈住了二〇一五年以來最幸福時刻
就在全上海最激動活躍的心跳區，
以告白勇氣開啟一連串愛的氣勢，
每一處、每一幕正在發生的情節，
刷新了每個上海人的愛情新境界！

這裡就是感動的發源地，
於是我們的愛情，
終於找到了永不落幕的浪漫場景！

大悅城六大驚豔

求愛擴音器

如果沒有在這擴音器前大聲告白，
你怎能聽到我愛你的分貝有多大？

如果你決定要放膽向Ta告白，
請先站上玻璃的全透明地板，
讓所有幫你加油打氣的祝福，
能無礙地從四面八方湧過來。

請準備好你要打動對方的愛情誓言，
對著高三十米、全球最巨大的擴音器，
高調求愛，大分貝說出你們的未來！

愛情摩天輪・SKY RING

如果沒在這摩天輪前面親密合影，
怎能向這世界證明我們正在熱戀？

早上仰望的晨曦、情侶甜蜜下午茶、
晚上夢幻燈光秀、午夜的求婚告白、
全城人望向天際，每個人都看到你！

全中國首座屋頂懸臂式摩天輪，
直徑五十米、距離地面高一百米，
三六〇度的視野，讓愛無所遁形，
五百平方米的延伸流域，
讓愛大規模地氾濫開來！

SKY RING
成功圈住了上海最幸福時刻
每晚以三十顆巨型鑽石戒指
向每一個有愛的人說：
Yes! I do!

愛的萬物論

將你生命中最繁華的黃金時段，
留給這個世界上最美好的事物。

水晶石能量占卜室、創意森活館
取材自大自然動物靈感的生態區
青春永駐化妝區、spa舒壓沙龍

萬物齊想的靈性市集、微型的葡萄酒莊
銀飾手作工坊、人文集散地西西弗書店

加州手工刺繡牛仔褲、好萊塢血統的盛大衣袍
英倫知青的氣質服裝、甜美藏有叛逆的少女裙
把歷史穿上身的復古男裝、酷玩世界的運動褲
棉麻彩珠的編織手拿包、芬蘭印花的創意文具
原味自然主義的時令鮮餐廳、驚喜花式冰淇淋

陳列在大悅城裡的每一個有情物，
都正在連結你與整個世界的激情！

摩坊166‧More Fun

我們需要藉藝術家既浪漫又詩意的天工，
為我們打造出夢想純度最高的生活劇場！

一旦你的生活感官染上了藝術的熱血，
你的世界就因為有了創意而從此不同！

就在SKY RING摩天輪的腳下，
在想像力最茂密旺盛的地段，
大悅城注入上海的藝文氣質，
在後工業風格的創意工坊區，
以百間小店串聯了多腦通道，
光漫走在這裡就能腦洞大開，
每一步都在幫我們創意升級！

原創、手作、情調、風味、夜宵，
全方位鋪開多層次的夜上海生活，
同步啟動上海青年最多元的會面，
這裡就是驚豔全上海的第一現場！

大悅幸福網

每一段值得紀念的愛的印記，
都跟大悅城每一處息息相關！

愛情是一連串
每日每夜不停翻頁的電影劇本
其差別只在於
旁邊有沒有攝影機與觀眾而已

初識曖昧、猶豫掙扎、真情告白、
攜手相愛、激情熱戀……到決定廝守一生，
我們每一段值得紀念的愛的印記，
都與大悅城息息相關：
相聚會相見歡、手工親製大禮、購物互動娛樂、
品時美食慶祝、留言合影紀念……，
為了讓我們的一整年高潮迭起，
大悅城巧立了各種狂歡的名目，
以十六‧三萬平方米的愛情雲版圖，
做為我們揮灑愛情的浪漫領地！

大悅萬事通

online隨身管家式的貼心服務，
用心地為你實踐每日的幸福！

大家的祈願，我們都聽到了！

大悅城Always online萬事通，
向來知無不言，言無不盡，
你的手機就是你的隨身顧問！

會員以積分，或是當日消費滿八百
我們會派專人
把你剛買的禮物快遞送到愛人面前
跟你一起共享Ta收到禮物那一刻
出乎意外的驚喜與超級感動的表情！

從尋人、到需要冷熱水、針線包、雨具、
充電器、衛生用品……
我們的服務人員，就是可供你差遣的貼心管家，
讓你不小心
就把大悅城當成第二個家！

這是一篇以陶為擬人化的文案，說明陶的各種功能。此篇是我至今寫過最長的文案，多達三千字。

陶的未來預言室

畢卡索感歎地說，
有了她，我們就很難獨處了。

她藏在鐘裡，告訴我們起床的時間。
她留在收音機和錄放影機裡，
記下我們每一筆的思考對話。
她射日換成電能，給足我們光和溫暖。
她啟動我們的車一起去旅行。
她也躲在眼鏡裡，看著我們好奇的世界。
高感染力的她，還化身在行動電話裡，
成為笑聲和故事最頻繁的路線，幫我們維繫人際關係；
並在我們最孤單的時候進駐Internet，
成為我們虛擬的一部分，傳輸我們的靈魂，
與別人「陶」醉一夜鍾情。

除此之外，她還幫我們偵測敵情，
發展遠紅外線導彈系統，以贏得我們的革命情誼。
她說，她不只想要介入我們的生活，
她對人極度敏感，有條件做我們最好的知己……
她幫我們聽清楚世界，探訪嬰兒的心跳，
她也聽清楚我們的情緒、潮汐和病情。
她不僅構成我們的精神磁場，
激蕩我們的能量，

她也是我們長出來的感官和新觸覺系統，
調和或強化我們和外界的關係。

可怕的是，
她還可以模仿我們的聲音。

她說，她還要變成一件防彈衣，
為我們趨吉避凶，
守護我們一輩子。

幻想是大腦最快的進化，
上帝自古把她交給人類，
也就是傳承一種創造未來的能力。

隨著我們的善變，展現她獨到的魅力。
她是最精準的現實，比鐵板神算更能預言、諳星象、
可以和我們一起排出想像的細節。

最新下載的聖經密碼就寫在她身上，
她是超現實的路徑，
保護我們在太空中冒險，
也是我們與外星人
和平溝通的完美大使。

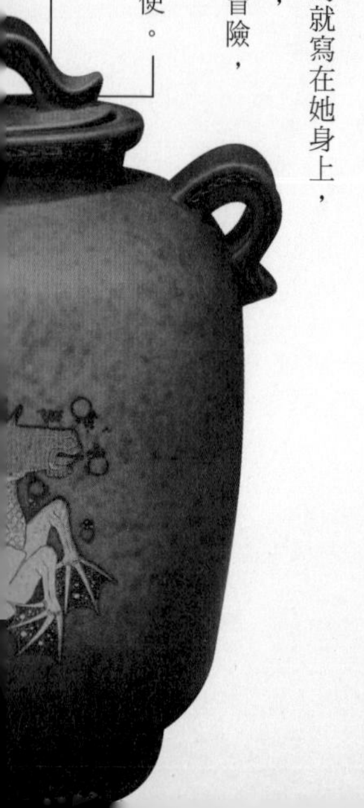

她已經散播了各地古老的神話，
千年以來人類高潮迭起的音樂、儀式、狂歡、
享樂、消費、美學、意識、感受、記憶、
衝動、聲音、壓抑、
自由、靈感、夢、旅行、進化、期待和希望。
享受她的未知，是我們脫離現狀最快的途徑—

她是人類欲望的形狀，
她是古老而美麗的先知，
她是實現想像力最完美而豐足的材料，
她是有魔力的天使、善良的女巫，
她是我們剛和未來取得聯繫的白色密碼，
她，就是陶瓷。

舊情還在，許諾一個未來。

第二次世界大戰加上能源危機—
鉻、鉬、鈷的匱乏，
讓陶有機會以新面貌示人。

科學家審視老祖先傳給我們的舊材料，
仍懷念她精純、強韌和有磁力的性格，
決定重新安排她在鋼鐵界、電子業、軍事區、光學、
生物醫學、航太科技……的新任務。

過去千年以來，
她有耐心地陪著人類發展文明。

千年後的今天，
她也將與我們共同
演化未來。

如果沒有想像力，
陶瓷也不能帶我們無遠弗居。

亞當、夏娃自伊甸園出走後，
就用一雙手創造人類自己的世紀。
正因為人會幻想，愛做夢，
才能巧用上帝留在我們身邊的各種材料，
造鍋捏碗，建屋鋪路。

我們仔細端詳「陶」，
她熬過一千四百度高溫的磨難，
以離子鍵或共價鍵的鍵結方式，
緊密並強化自己的內在，保持鎮定、臨危不亂，
結構意志比鋼鐵還強硬。

她從此不畏熱、不怕磨、抗高壓腐蝕，
在酷熱的汽車和飛機的引擎上發揮她的極限，
有時還能展現有磁性的魅力及透光的智慧。

一個因失戀而一蹶不振的人，
應該向她的靈魂學習堅毅。

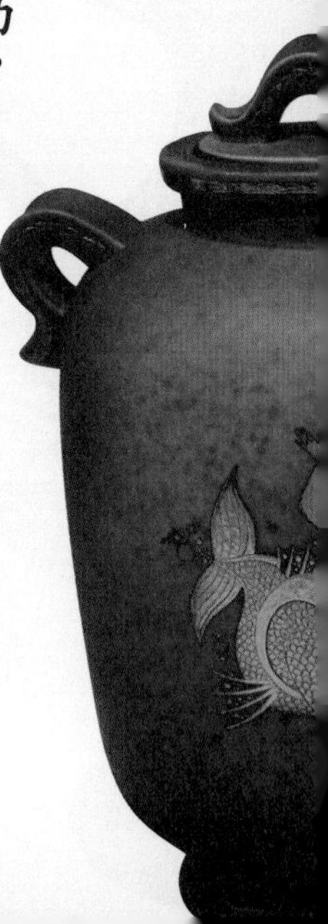

千年不變，安全與幸福最好的守護者。

從沒見過這麼兩極性格的材料——陶，
可導電，也可絕緣，
可溝通，也可防衛，
比人還有原則。

她很懂得生活，沒有怨言：
陶罐醬油、陶管排水、陶甕釀酒……
她樣樣事必躬親。

她的堅毅，
讓她化身成煉鋼和玻璃窯場的耐火坩鍋、
工廠的鹽酸甕、分解缸、耐酸磚、耐火磚，
她幫人擔待生活上必須要熬的艱辛，
也幫我們與無情的電流之間和平地絕緣，
家裡的電線導管、插頭、開關……
她都守在裡面，怕我們出意外。

不只在盛世，當我們受到威脅時，
她就變成武器，幫我們擋子彈，抵禦侵略：
手榴彈與地雷的外殼、
軍用飛機螺旋槳、淬火用大陶缸、
臺灣南投和九曲堂的戰用防空缸、
軍用陶碗、戰時通信的管線……
我們在危難的時候，她並沒有走遠。

她愈自由，就愈能觸動人心。

陶是活的，
電是否能被獲准在她體內流動，
完全看她現在自不自由。

電子離子的多寡、移動的自由度、
原子間傳導帶或價電帶間隙大小、
電場的大小……
決定陶是絕緣體、半導體、導體，
還是超導體的體質。

比方電線杆上的絕緣礙子、
電暖爐與烘衣機裡的陶瓷發熱器、
電話與電子錶內陶瓷蜂鳴器、
半導體產業的晶片及被動元件
（電阻、電容、電感）……
如果夠瞭解她的神經脈絡、她的伸縮舒展、
她的矜持與放浪的尺度，
我們就能自在運用，與她如魚得水。

夠敏感，才能與我們一起享樂未來。

她有超能力，
她善用電、磁、聲、光、熱、力
呼風喚雨，
所以她一向隨心所欲。

現在最熱門的電子產業，
就是借助陶原始的靈敏與感性的魔力，
以維持輕、薄、短、小的優勢身形，
例如：陶瓷電容、陶瓷電阻、陶瓷電感、
陶瓷濾波器、陶瓷感測器……
這些陶瓷組件，
全都躲在電視、電腦、大哥大裡，
與你聲息相聞、生活與共，
卻讓你完全察覺不到她的存在。

她善於擴大事端、調解危機、
散播耳語及感染情緒。

精密陶瓷夠輕薄，
共同擠在一個小的空間裡仍不會互相干擾，
所以她的分身已經佔領了大部分的行動電話，
專心聽你的聲息，並幫你散播訊息。

她不僅管人間情，還一飛登天，
以陶瓷天線的角色在全球衛星定位系統裡，
管起世間所有的生活……

比方熱心地導航迷途的車，
佈下天羅地網來找到偷車賊，
比方她以絕佳的折射率入主光纖的團隊裡，
不失真地完美傳遞聲音、圖片、文字、
感情、秘密與愛，
成為時髦的Internet新貴。

她還做我們身上的感應器，
陪我們一起體驗虛擬實境，探訪未來。
比方她還展現高智慧的防禦力，
堅守不讓紅色以外的光進入，
形成滴水不漏的遠紅外線導彈系統。

將來，我們有她就有如天助似地，
在眼前的道路會自動修補坑洞；
在飛機金屬感測到疲勞時，
立即通知維修人員；
替房子感測強風、地震、積雪，
並馬上幫我們強化結構……

她的智慧與仁慈是我們的左右護法，
也是最懂人心的好運天使。

眾裡尋她千百度，陶就在燈火闌珊處。

精密陶瓷，不易見、不易碰、不易感，
總是神出鬼沒，沒有人能準確預言她的行蹤。
你只能像不死心的偵探，
打開手錶殼，分析剪刀，觀察原子筆尖，
解剖防彈衣，
研究門把，看穿眼鏡，端詳人造鑽石，
甚至跟蹤高爾夫球杆的去向，
才能有緣撫觸到她的細緻，
找到她的蛛絲馬跡。

她有潔癖，
幫我們保持了乾淨的因果循環。

很高興在能源危機的時候，
陶瓷即時給了我們繼續前進的生機。

她比情人間的承諾還永恆。
精密陶瓷的耐磨、耐熱、耐腐蝕，
讓她可以忠貞而有效地，
成為你工作的最佳伴侶，
延長你的財產，
加長與你共處的天倫歲月。

她有潔癖，
精密陶瓷能過濾、捕捉並轉化有毒物質，
所以我們把她安置在車內，
把有害的碳化氫廢氣轉成二氧化碳和水，
淨化我們的呼吸。

她最迷人的，
是她源源不絕的能量。
陶瓷矽板吸收后羿射日留下來的太陽能，
為我們轉成電能存起來，
以備不時之需。

我們將有不用電池的計算器、手錶，
不用交電費的熱水器和太陽能屋，
我們不用擔心成為下一代的負擔，
她節約的好美德，
幫我們啟用了一個乾淨的因果循環。

她變成我們身體的一部分。

她在醫院裡走進了身體，
成為我們的一部分。
精密陶瓷不具毒性，不會破壞人體免疫系統，
與人體親近，而且耐久有強度，
足以扶持我們一輩子。
她變成重傷人新生的骨骼、
不良於行者的新關節，
她聽我們的血壓脈搏，探測我們的健康，
並複製嬰兒的心跳。
只要我們喝一杯裝有微機械的柳橙汁，
她就可以動手清除血管裡的阻塞與病。

此外，她還義不容辭地修復沮喪的靈魂，
和一蹶不振的傷，
化成助聽器繼續聆聽貝多芬的田園交響曲，
變成牙齒，代替老人咀嚼，
長成心臟瓣膜，繼續我們的心動！

取之不盡，她的「磁」性魅力。

二十世紀，荷蘭菲力浦實驗室
發現她超強的「磁」性魅力，
於是繼續開發陶瓷氧化鐵成為硬式磁鐵。
在二次世界大戰中，你可以在船上、戰車中，
或是在最近神奇的隱形飛機裡，
發現她的魔力無邊。

現在的人不愛打仗，
就把她帶回太平盛世來享樂：
生活上要用的馬達，酗音樂的揚聲器，
磁性紀錄的錄音錄影帶，提領富裕的金融卡，
儲存情話的電腦磁片，
離地飛行的磁浮列車……
你能帶著她去哪裡，全看你的想像力到哪裡。

很高興她參與了我們的過去，
也歡迎她加入我們的未來。

ROASTED COCONUT
มะพร้าวคั่ว
POPPY
งาดำ
WHITE SESAME SEEDS
งาขาว

身體・氣味・美麗的排場

印度靈性大師說：
身體是可見的靈魂，而靈魂是不可見的身體。

身體是一個具體而微的宇宙，每個細胞都有自己的生命，
無以數計的細胞，以令人無法置信的方式在運作。

當我決定開始改變我的靈魂排場，奇妙的是，
我也正同時改變了我的身體，我的氣味。

今天如詩般的初體驗，從你手上的第一頁飲冰室茶集開始！

藝文館品牌故事

這個時代需要詩人，因為我們需要藉著他們既銳利又詩意的雙眼，找出躲在平凡世界背後，那個璀璨刺眼的獨特光芒。於是我們成立藝文館，把詩人的沙龍搬進你手上的飲冰室，讓你以大夢初醒的品茶感官，悟出剛摘下來、最新鮮的詩。

整個靈魂之旅，是從你聞到的第一口茶香開始——詩就這樣從詩人的心，透進了你的味蕾，滋潤了你的身體流域；自此之後，你也有一雙極美的詩眸，身邊的人不一樣了，整個世界都不一樣了。我們養茶，也養詩人。詩是靈魂，茶是觸媒，我們正蘊釀著最有詩興的茶，無論是紅茶、綠茶、烏龍茶、抹茶……它們就像是植物界的濟慈、泰戈爾、李清照、徐志摩……我們想要喚醒每個人身上，那個沉睡已久、古老的詩意靈魂。

飲冰室開始尋覓躲在各行各業裡的隱性詩人，大家以為他們是小說家、歌手、音樂創作人、廣告文案……其實他們裡面都躲著一個詩人。過去幾十年，他們總是千方百計，趁大家都不注意時，把詩偷偷藏進：傳閱的故事裡、傳誦的歌詞中、傳播的廣告文案內。現在，他們都一一現身了，站在飲冰室的舞台上，公然寫詩。

以詩歌與春光佐茶，這不只是一句廣告語，而是一個詩意復興運動—每分每秒如詩字句般的濃烈激情，從你今天的第一頁飲冰室茶集開始。

飲冰室茶集包裝文案

【綠，奶茶】

茉莉與茶葉層層交疊七小時，讓花的靈魂完全滲進茶的身體裡。風乾所有的濃醇香氣，再以奶香特調出無法忘情的滑順口感，讓鮮茶在味蕾上開出茉莉的芬芳。聖潔的綠茶，熱烈的茉莉，調理幾下子，就變得理想化了。

——以詩歌與春光佐茶，飲冰室茶集

【烏龍，奶茶】

精選台灣烏龍，自八十度起經五次增溫達一百三十度。五段紋火烘培二十二小時，讓慢火炭培出茶溫厚的香氣。讓口味刁鑽的你，喝出精火與山茶的交鋒後的超凡氣勢。氣息徘徊在夢與現實之間，請珍重這一卷炭培茶香。

——以詩歌與春光佐茶，飲冰室茶集

【奶霜，紅奶茶】

製程精緻的工夫紅茶，依茶葉狀態調整揉捏程度。封住底蘊深厚、色澤紅亮的茶汁，一洩千里的香醇全鎖進一隻盒中，奢侈的霜紅醉意，在雲裡也在雲外。在霜紅與奶白之間，一出手，香氣撐得像四月那樣遠。

——以詩歌與春光佐茶，飲冰室茶集

【抹茶，奶茶】

日本藪北種春摘綠葉，5℃以下沉潛出甘甜。慢石工藝琢磨成細緻吐納的抹茶。最高禪意的翠綠，被生命力極強的乳香瞬間喚醒了。

——以詩歌與春光佐茶，飲冰室茶集

25°C的熱帶邂逅

我們身在亞馬遜的叢林之中，
我看得見你，
你在葉隙中、在晨霧之後，
我在河上。
我聽到遠方有人擊鼓，
有人升火，有人汲水，
更遠的地方有鳥，美好一對。
你離我很近，我聽到你的呼吸，
我聽到你正好奇，
正在找我，
正在靈魂的赤道上，
等著清涼狂歡的各種可能。

20×10

愛上你是我的天賦特權，
不需要經過你的同意

我之所以特別，因為這個世界上
只有我能愛你愛得不慌不忙。
我們之間沒有過去，
也沒有未來，
我可以很單純地愛你，感覺你，
不去思考你、度量你、定義你、
推論你、期待你、規劃你、
打擾你，
不必在你身上投射我有限的夢、
有條件的愛，
就像盲人把彩券賣給
盲目相信機率的人，
我們之間最不需要的就是清醒。

感覺是詩人的品質，
思考是科學家的事。
即使相隔萬里，時差六小時，
但我們的靈魂從未分離，
連想像共枕擁抱、
向未來做夢都不需要了，
所有的追逐、等待、
創造都可以停止，
我們已經活在彼此之內，
可以一同溺死在映照出對方的眼
眸之中，也可以在急促的呼吸中
再度復活，
我們已經是一體，
彷彿自戀般地天經地義。

以最難忘的山水排場，讓你想擁人間最美好的生命時光

離開喧鬧的臺北，只要一個小時，就到了世外夢境。

春秋烏來Resort Hotel，比夢還美的地方，
整面青翠山壁溪水，就是造物主最奢華的留筆。
每一口鮮澈的呼吸都是最感動的恩賜。

身體在溫泉底，放鬆地享受自己的體溫，
心震盪在西藏頌缽的音禪波動之中，
身心靈相遇在寧靜美景裡，與久違的自己，獨處愉快。

窗外光影在天花板跳舞，
身心相遇在美景之中，
享受下午餘暉的樹林與微風。

樹林剛出爐的新鮮氧，
花草與綠壁的香氣，
鳥鷗的低空飛翔，
溪水的流動生態，
我們是第一線目擊者。

邀請窗外的微風、樹香、鳥鳴、水聲、光影……
進來一起慶舞，
這裡就是廣納天籟靈氣的美麗殿堂，
聽、嗅、味、觸覺重新喚起的喜悅，
敞開宛如新生。

春秋烏來，
以最難忘的山水排場，
讓你享擁人間最美好的生命時光。

心肌靈的月光黃金律

在經過塵世一整天的奔波勞頓與現實交鋒後，回到家，就像返回自己安詳的神殿中，與自己安靜地獨處，為自己療癒。

夜晚朦朧的月色，有最寧靜的能量。此時，自體的潮汐被月亮安撫著，在陽臺上進行著一場無聲的身心光合作用——高速的時間停止了，整片穹蒼就是自己心靈的放牧區，讓眼耳鼻舌身意沉浸在溫柔的能量體之中，月光引領著進入深層的冥眠狀態：潛意識的沉靜、腦波的調整、細胞的喚醒、腺體的分泌重理、精力與免疫力的增強……，從五臟六腑到皮膚裡外，看似靜止不動，但體內卻是深度的洗滌，這是一場全感官的Moonlight Shower。

這個時候，如果有氣味是最好的了。精油是高單位的花魂，比度亡經更具有死而復生的輪迴神蹟：自信配方、積極配方、亢奮配方、勇氣配方、鎮定配方……，一如靈魂風水師把所有的氣味法術都裝進了試管型的薰燈裡，一點燃就改變現狀，一啟動就改變磁場，一呼吸就入禪定，彷彿做了一場極深度的氣體瑜珈，所展現出來的靈氣，到床上都還有神效—身心瞬間回到剛出生時被擁抱的溫暖，此時此刻，睡在甜甜的恩典裡，就是一生最美好的巔峰狀態。

在這樣的月光流域之下，每晚進行著脫俗入聖的能量補給，就像古希臘人以定期的光浴，來維持高水準的體能與智慧。儀式之後，我們又恢復成了女神，在白天繼續威儀地行走在自己的疆域版圖之上，所到之處，一切都更降服了。

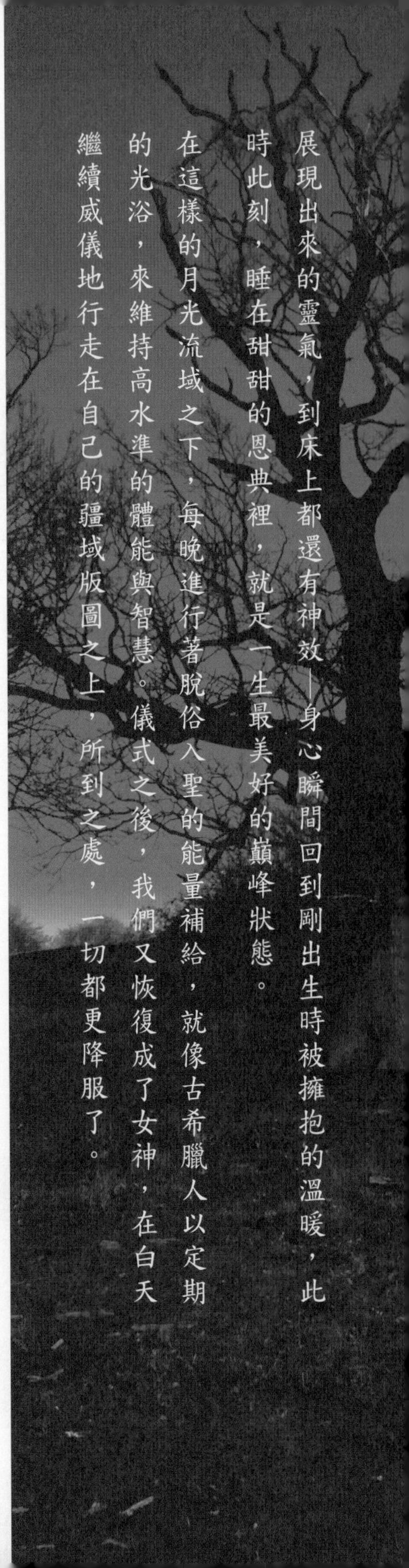

產品介紹

世界首瓶與天體運行一致的自體修復配方，依月亮圓缺、身心陰晴潮汐，為肌膚週期所設計的再生完美極品：

SkII LXP決定動用最頂尖的研究團隊，研發出一系列與天體和平共存的終極保養品，以極致能量賦活科技，喚引敏感的肌膚情緒，配合月亮從缺到滿的週期，以深度的放鬆、清理、調整、修復、清透、滋潤、活化、奇蹟再生、防護……微細精密的生理程式，進行每月一次再生完美的輪迴，回軌到心、肌、靈的月光黃金律。

SkII LXP特別以南法國格拉斯最極品的五月玫瑰精萃，作為此系列強而有力的靈魂能量源，一次完整的肌膚再生療程，同時也進行了一場冥想幸福的嗅覺瑜伽，讓心靈潛意識與生理月週期，有如協奏曲般的變化完美……每月一次，感性與理性同步的肌靈復生，即將在你身上展現無可言喻的神蹟。

我們向自然借光，把能量還你！

工作壓力很高，動能卻很低。
生活瑣事很多，快樂卻很少。
經常火冒三丈，血液循環卻很差。
失眠的人夜長，高壓的人路遙，
我們已經這樣連續耗弱好幾十年，
日夜都在大量折損我們有限的體力與能量，
不補充，我們能撐到什麼時候？

地球生成，讓無機物因光而有了生機，
光能以數十億年的力量演化萬物，
那都是我們現在存活的理由。
我們想提醒你的是：
你只知道防曬，自絕於光太久，
早已經失去生物最初本維生的光能補給。

植物自給自足綠意盎然，

女人想美得自然，也需要光合作用。
古希臘人定期日光浴，維持他們高度的體能與智力，
因為他們知道光對健康身心的療效有多必要。

二十世紀初，許多醫院也相繼設立「日光浴室」
幫助脆弱的病人補給光動能，
提升血液中的血清素濃度，增加微量神經傳導素，包括：
增加精力與進取心的多巴胺素、重理日夜週期的褪黑激素……
光透過視網膜調整腦部運作，減低壓力荷爾蒙CORTISOL的形成，
增加新陳代謝、吸氧量、免疫力、睡眠效率及生命動力，改善憂鬱。

我們向自然借光，把能量還你！

生命有限，很多的失去現在還來得及追回：
引進美國太空總署專用：Sunspectra 9000tm光合太空艙，
減去你被太陽紫外線曬傷的風險，
將浩瀚無際的宇宙光與能，利用溫和的全頻光調理你失衡的身心。
原是讓長期在無陽光無新鮮氧的太空人，迅速恢復生命動能的補給艙，
現在我們再佐以心靈音樂，及南美叢林與歐洲鄉村的純天然精油，

讓你的眼耳鼻舌身意，同步接受全光譜與79℃熱能的身心靈「關照」，
背部還同時享受振動式能量按摩，
並有負離子風吹撫著，溫柔地增加你的免疫力。

依每個人身心狀態的不同，獨立一人一室一師，
專人設計安排最適你的光種、光量、光能、溫度、
風、振動、音樂、複方精油、經絡沖澡及花草茶。
唯有深層調理、徹底改善你的體質，所有的問題自然迎刃而解。

難怪在美國好萊塢鎂光燈下耗損極大的明星們，
得隨時隨地回到光合太空艙中，
這就是他們迅速恢復光鮮亮麗的秘密通道。

在光合太空艙中，所有的時間真的都停止了，
你將進入一個極深層的冥眠狀態：
光從潛意識的沉靜、腦波的調整、細胞的喚醒、腺體的分泌重理……，
從五臟六腑到皮膚，看似靜止不動但體內卻是深度的洗滌，
我們稱之為全感官的Air Shower過程。
美國太空艙級全身光能的補給體驗，

九十分鐘內幫你迅速恢復，大半輩子耗掉的生命動能。

我們想把你恢復到：
剛出生時被擁抱的溫暖靜定姿態，
舒壓後你自然好睡，循環好了就能自行抵抗衰老，
身形與肌膚，都將會是你這一生中最美好的巔峰狀態。

不要讓生活繼續耗弱你的身心靈，
再忙也一定能抽個一個半小時，
回到這個自然與人最短的時光補給隧道中，
找回原屬於你卻失去已久的安靜能量。

我們已經啟動光源，請你現在就出發！

臺北東區巴黎SPA會館短文案

自從愛上了巴黎，整個身體都被那樣的氣味佔據了。
於是我們決定在臺北東區，把這樣的空氣留下來，
留在一個叫巴黎會館的地方。

巴黎會館：www.parisspa.com.tw
全臺北最法國優雅的Lounge Spa身心芳療館。

依法不能吸打毒品，所以吸食精油

想念埃及甜馬喬蓮的香味，想念奧地利杜松果的香味，想念澳洲桉樹林的香味，想念法國薰衣草的香味……，現在你不必千里迢迢去尋覓，我們把大自然界最好的、你最想一親芳澤的味道，從世界各地帶回來，裝在罐子裡，你一打開就可以聞到最精純的芬多精。

巫醫調製心靈藥方的陣勢，能以嗅覺上通大腦的快捷方式，喚醒每一條傳導神經，高效率地振興衰敗的心腦細胞，從骨子裡撤換悲觀的情緒，借高速血流疏通鬱結，進而放靈魂大膽出竅，小心回魂，讓整個身體瞬間改朝換代。

這些神奇的味道，就是一種最接近神魔二界的自療大法，沒有靈性的人是感應不到法力無邊。如果是塗抹在手腕內側動脈上口，血管的跳動成了致命的吸引力，你很迷醉，身邊的人靠得更近，你就很難對自己下毒手。用喝的精油更是如飲鴆止渴般地刺激，生死未卜地滿足口腔期，活著就是最大的恩典。

既然依法不能吸打毒品，所以你可以吸食更奢侈的精油。

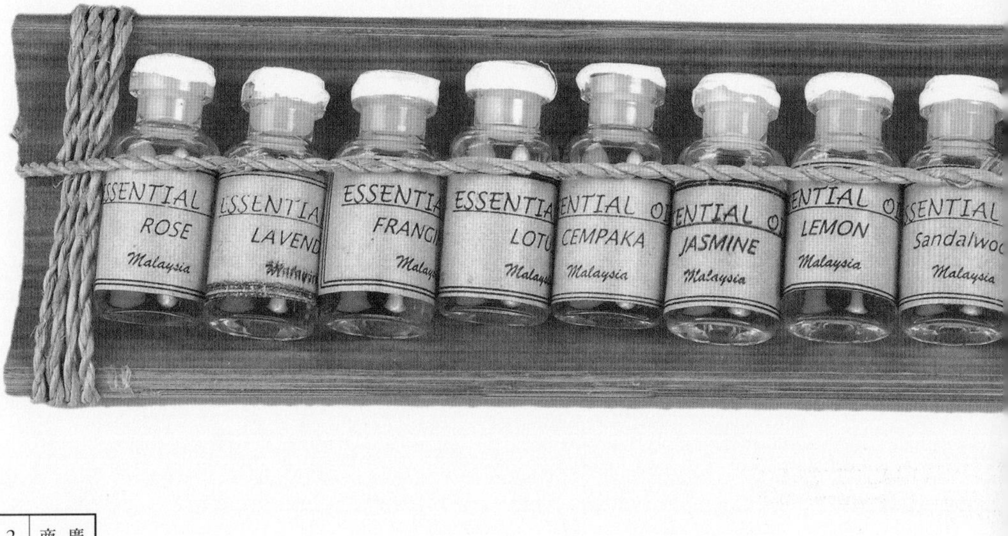

玫瑰啟示錄

玫瑰，是一扇溫暖的信仰

去年十月，我到東歐旅行。看過無數個大大小小的教堂，至今還記得的只有一個，那就是導遊突然指著我右方的窗說：「看！這就是很有名的玫瑰花窗。」我往回看，那是一個特別的窗，玫瑰花狀的圖樣，外頭刺眼的光，穿透每一片紅色的花瓣玻璃，變得十分柔和。我仰看那扇窗很久，領悟原來玫瑰是一朵信仰，讓人自然而然地想親近凝視，不必駭怕大剌剌的光傷眼。這一幕玫瑰的溫柔啟示，給了往後的我，一個最有能量的旅程。

玫瑰，是一見鍾情的靈感

玫瑰是善感的藝術家們，一眼就動情動筆的靈感。張愛玲的紅玫瑰、白玫瑰，寫的是上海兩個女人的命運。蘿拉．艾斯奇弗，把玫瑰寫進愛情食譜裡。義大利哲學家安伯托．艾柯，用第一朵玫瑰的名字，揭示在修道院的每一段禱告故事。十三世紀的法國愛情長詩《玫瑰傳奇》，正是描寫一個詩人愛上、苦求，到贏得貴族女子「玫瑰」的芳心……或許是我耽溺在這些百轉千回的玫瑰情事捨不得離開，久了就成了信仰，讓我在書裡順手夾玫瑰花瓣的習慣不改。如果你在我的書中找到玫瑰花瓣，你可以從那一頁開始，順著作家佈下的文字香味，往下讀……

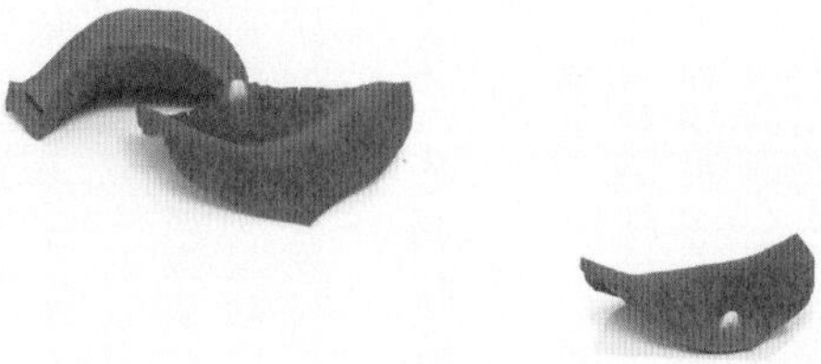

玫瑰，是一壺身體的暖流

玫瑰可以種在自己的身體裡。在一個燥熱的星期三下午，我離開辦公室，在臺北東區的巷子裡，循著有口碑的香味，找到一家花茶店。望著寫滿療效的花茶Menu，我問老闆，我該喝什麼茶？他說：「玫瑰。」我不知道他為什麼這樣快做這樣的建議，我看了看玫瑰的療效：活血養顏，疏肝解鬱，主治肝胃氣痛。原來玫瑰是一帖藥方，明眼人一看就可以對症下藥。我只想說，玫瑰喝進身體裡的感覺，像是一股暖流，從手腳開始熱起，暖到上身，玫瑰花在臉上盛開……十八世紀的女人，用一品脫的玫瑰，調製成「天使水」來美麗自己，我們也應該定期在自己的身體裡，種一壺熱玫瑰。

玫瑰，是一缸38℃的慰藉

埃及豔后在出航前，將船浸泡在大馬士革的玫瑰中，把香氣帶往整個尼羅河流域。亞歷山大大帝，喜歡在玫瑰花瓣泡滿的澡堂中，舒解他強烈的佔有欲。我在想，一個縱橫這麼大天地的統馭者，怎麼可能會屈服在這麼小小的玫瑰裡，願意赤身在它之下？於是我將前天收到的紅玫瑰花束，在她們盛開的第三天，在我的浴缸裡，做一次有歷史性的實驗：一瓣一瓣地放入熱水之中，玫瑰像是紅色的水蓮，一片各自成一朵，漂浮在身體之上，不必放精油，忽近忽遠的花香，就開始放鬆我的每一條神經……原來，玫瑰是一缸38℃的慰藉，慰藉緊張的野心，慰藉戰鬥後的疲累——這個秘方，已經從古羅馬時代開始至今，在你我懂得享樂的浴缸中，歷久彌香。

玫瑰，是最美的電影結局

在許多愛情電影中，玫瑰象徵浪漫與完美。玫瑰在兩個人的感情中，不管過程多麼猜疑、困難，只要是Happy Ending，電影就會結束在一張鋪滿玫瑰花瓣的床，或是婚禮上從天而降，繽紛飄下的玫瑰花瓣雨。所有女主角叫Rose的愛情電影，結局都是驚天動地。玫瑰，在所有的電影導演心中，是上帝給人類愛情最美好的禮物：飽和的色澤，期許亞當與夏娃不褪的愛戀；柔軟的花瓣，希望情人之間層層相依，從內心到外在。玫瑰，是電影最美的結局，當然也是你和愛人之間心照不宣，最美的默契。

玫瑰，是順勢用柔的智慧

「地勢坤，君子以厚德載物。」在易經之中，坤卦六爻全陰，象徵大地，深厚包容，承育萬物，氣度博大，行地無疆。我從自己的母親身上，目睹一位成熟女性的人生智慧——看過她如何好言好語地，安撫正在氣頭上的父親；看過她如何在教師工作上，以愛化解正在打群架的學生；看過她如何在鄰居之間，成功地調解停車糾紛；看過她如何在子女叛逆期，用最大的耐心陪著我們順利地度過青春黑暗期；看過她如何與她的同學、朋友、市場賣菜的阿婆、需要幫助的老人、她的親人、家人和睦相處。她的謙卑、她的善解人意，化解了身邊一觸即發的暴戾之氣。原來，逢凶化吉的能力，不是憑運氣，不是靠貴人，不是找神助，而是要藉著愛心養成的智慧，自天佑之，萬事咸寧。治大國如烹小鮮。母性可以融化威而剛，女性的溫柔可以軟化核武的對峙，和平可以解散軍隊，低姿態的機智可以讓敵鬆懈，讓站在面前殺氣騰騰的仇人，放下怨恨的刀。我們看到慈濟的女志工們發揮母愛的極大值，在人們最需要安慰的時候，不吝擁抱。女人間千年的宮廷鬥爭已經結束，姐妹情誼讓世界開始如沐春風。這個社會需要有人開始種玫瑰，開始懂得女性順勢用柔的高度政治智慧，擁擠的人際城市，即將因為有花香而餘味猶存。

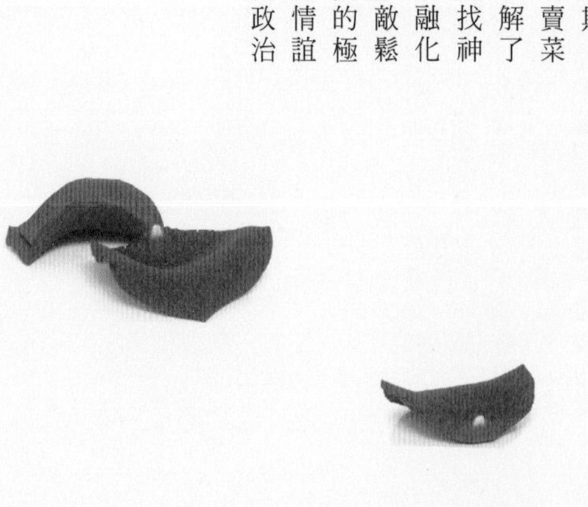

玫瑰是前進的力量

二十一世紀的玫瑰宣言

以前的女人被困在三寸金蓮裡，一生就在來回的一條街裡走完。現在，女人穿上修長的高跟鞋，不再走上個世紀老奶奶的路線，在職場上充分展現優美的行動力，下了班就換上球鞋，到健身房做有氧運動，並定期出國旅行看世界。女人從深閨中走上世界的舞臺，愈走愈遠，愈飛愈高。法國第一位女太空人克洛迪・艾涅爾，因為有個愛旅行和Shopping的爸爸，從小就體認國家沒有界限，人生沒有設限，未來更沒有上限。她的自覺，與強大的學習力、記憶力、意志力、耐力，讓她有足夠的動力加速度衝向外太空，以更無邊無際的視野，探索浩瀚。甘地說，未來屬於女人、和平及人文。當芭比娃娃喊出：We girls can do anything……，當獨立女歌手唱著「姐姐妹妹站起來」，當愈來愈多的女法官、女教授、女醫生、女司機、女作家、女軍官、女飛行員、女旅行家、女太空人、女網友在虛擬的夢想與真實的天空翱翔，她們已經找到了期待千年的自由自在。未來正寬廣，請你瞬間下載玫瑰的新百年行動力，開創一個美麗新世紀！

讓手紋轉向的玫瑰生命力

以前女人的命運是油麻菜籽，飄到哪落腳，全看父母或丈夫的安排。現在的女人有兩種選擇：一種是每週參考星座運勢，四處求神問卜，唯算命先生的指示是從；另一種則是相信自己的判斷，堅持自己的決定，主宰自己的命運，擇善而固執。女人的命運掌握在自己的手上。當你看到一個對自己、對家人、對事業、對未來堅信不移的女子，她臉上自信的光采，猶如一朵正綻放生命力的玫瑰，傾國傾城，看她認真處理大小事而有條不紊的優雅，隨風搖曳卻柔軟的身段，懂得原則，也不忘保護自己，像玫瑰堅韌有節有刺的花莖，不輕易被環境摧折——女人的命運，花了上千年的爭取與突破，終於從油麻菜籽長成了玫瑰。你相信嗎？當一個女人有了自己的Power，可以讓手紋轉向，甚至讓世界繞著她轉。在新世紀來臨之際，請提煉好你的玫瑰新力量！

雨過天晴的女玫瑰騎士

你看過女人掉眼淚嗎？不管是在家裡、學校中、情感裡、工作上，只要有個風吹草動，水做的女人止不住的決堤情緒，一發不可收拾；但只要適時地給她一條手帕，再過幾個小時去看她，通常可以看到雨過天晴的景象：她會擦乾眼淚告訴你，她想通了，她不該為這種小事傷心；哭得驚天動地之後，從絕境中找到了出路，她已經知道，該怎麼冷靜地好好處理這件事……，然後笑笑地說她口渴了，想去喝一大杯玫瑰冰茶。你可能會對她這一雨一晴弄迷糊了，但也會被她起死回生、復原並迅速再生的能力感到佩服。以前是打勝仗的聖女貞德，現在女人都是愈戰愈勇、叱吒風雲的女玫瑰騎士，在挫折的眼淚中，自給自足所需的水分；永遠站在人群的最前線，有背水一戰的勇氣。女人的自信與魅力，風行草偃，已經馴服了二〇〇〇年以後的未來。

全國一二〇〇萬座玫瑰發電廠

愛因斯坦的相對論裡，已經被證實，有她妻子米列娃最原始的創意和運算力。我們都很幸運，不是活在「女子無才便是德」。從女人可以讀書識字，可以上學，可以寫作，可以深造研究，可以從政，可以發明，可以自己寫歷史……，真是一部漫長的女子進化史。現在，你可以在讀經班、書店演講廳、語言中心、才藝班、電腦課、美學教室、易理古學黨、心靈班、藝術戲劇院……，看到全場超過半數的女人專注學習，求知的動力十足。不論她們是學生、上班族、家庭主婦、女主管，還是三個孩子的媽。她們利用下課下班的時間、假日，或是白天家事空隙中充電，即使這些課不一定對她們有實質上的幫助，但你從她們抄滿滿的筆記、上完課意猶未盡的討論，知道她們已經服下了智慧的時空膠囊，補充了藝術胎盤素，充飽了精神電能，並將她們生活上敏銳的觀察和深刻的體驗，印證課堂所學。全臺灣一千多萬女人，一千多萬座正在運轉的玫瑰發電場。不停止努力的你，已經足夠解決臺灣的精神能源危機，支持二〇〇〇年以後豐足的靈魂所需。

你找到了玫瑰的神通能力嗎？

一個跨國的女企業家，她把運籌帷幄的能力，將自家的花園經營得有聲有色。一個巾幗不讓鬚眉的女政治家，同時也是知名的明清古董鑑賞家。得獎無數的女廣告人，打算自己裁布、設計衣服，親自走台並自行宣傳。有想法、持續拍片計畫的女導演，同時也是個盡責的好母親。筆耕不怠的女作家，平日用創意燒一桌好菜，並自己發明食譜。一個女電視台負責人，平日練氣功打坐，她是很用功的修行者，同時也是慈善團體的義工。對她們而言，工作與生活都值得全心付出。智慧不是天生的，她們後天比別人更用心分析情勢、歸類事務的能力，讓她們迅速找到靈感、應變解決；在專業上獨當一面，也很容易對其他領域觸類旁通。你考她什麼謎題都會，連買獎券，都有比別人更犀利的直覺和好運氣。她像是得天獨厚的天之驕女。其實是她能在跌倒時，比別人更快爬起來，在平日比別人更快看到機會而已。不管是工作、生活，還是業餘的興趣都精彩，像是玫瑰，每一面看她都美。現代的女媧不只補天，她們還創造自己的天地。你找到了這種美麗的神通能力嗎？

女人開始書妝打扮——卡片書文案

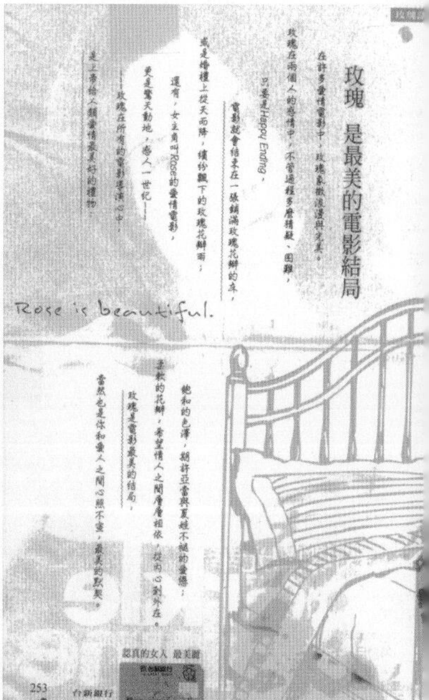

- 認真女人的自信，讓她眼前有著一面永映著微笑的鏡子，那就是全世界最美麗的風景。
- 認真的女人擦乾眼淚，比男人更有殺出重圍的勇氣。
- 趨吉避凶的神奇第六感，是專屬認真女人的機智。
- 認真的女人需要自由，上帝便賜給她一雙：隨時可以飛翔的翅膀。

女人六分鐘護一生

女人篇

上帝給女人一天二十四小時＝一四四〇分鐘。

女人花了一八三分鐘在照顧小孩或是寵物，
花了六十五分鐘在疼愛老公或情人，
花了二十分鐘在修剪花草盆栽或是花園，
花了一〇五分鐘買菜、料理、做家事及處理財務，
花了四八〇分鐘在辦公室努力工作、關心同事，
花了五十二分鐘關心公婆父母兄弟姐妹，
花了二十五分鐘熱心社區事務，
花了四十五分鐘看新聞、關心國家大事。

女人把大部分的時間都給了別人，
然後就只剩四十五分鐘打扮自己準備出門，
剩四二〇分鐘睡覺休息。

於是，女人把上帝給她一天的時間全用完了，
卻忘了留時間給自己的健康。

從現在起，
我們提醒每個忙於照顧別人的女人們，
每年空出六分鐘給自己：
三重點．都關照，六分鐘．護一生

請為了愛你的人與你愛的人，
好好愛自己！

男人篇

每天全心聽她說話六十分鐘。
每週貼心為她分擔六件家事。
每月專心與她獨處六十小時。
每年用心陪她去檢查六分鐘。

三重點．全部都關照
六分鐘．愛她護一生

美麗的男人，除了權力，他還要居高不下的魅力

——美艷的男人當權，史艷文卡全台風靡中

三宅一生說，未來的男人開始在意自己的長相，並開始上淡妝。越來越美的男人，除了權力，他更想要居高不下的魅力：

雲林布袋戲館的史艷文戲偶，攝影：Outlookxp，來源：維基百科

白天精通職場兵家的各門陣法，以義氣結識各方的英雄豪傑，
允文允武，不拘招式，
應變之快，隨時自創劍法，迅速執掌大局；
晚上則風采四射，氣質傾倒眾生，
溫柔橫掃武林，魅力萬教歸順。

長髮或長袍都是權力的延伸，
身為性幻想排行第一，比富豪排行榜更令他興奮；
史豔文的力與美、剛與柔並濟的新美男子特質，
在二〇〇〇年的街道上開始感染了起來……

誠泰銀行史豔文卡，
處處展現你最絕美的性格。

誠泰銀行布袋戲人物女神龍信用卡文案

聰明的女人，不只美麗，還要駕馭自如的超能力

——女俠轉世，女神龍卡席捲江湖

女媧開天闢地，聖女貞德帶兵打仗，觀音有求必應，武媚娘母儀天下。

雲林布袋戲館的苦海女神龍戲偶，攝影：Outlookxp，來源：維基百科

天賦女權，超能力與生俱來，
一身武功的女俠，在二〇〇〇龍年一一現身。

智慧無所不能，美麗法力無邊——
女會計師以紫微瞭解自己，以占卜推算明天；
精於劍道的女大廚，刀功與火候一樣高段；
陰柔統御的女總裁，以輕功日理萬機；
有電玩性格的美少女戰士，在BBS上匿名為女神龍。

聰明的女人，懂得運用美麗的第六感以柔克剛，
帶翼的天使或是善良的女巫，
不約而同地以超能力駕御一切，扭轉乾坤。

誠泰銀行女神龍卡，
讓你瞬間下載善意的法力，讓生活更遊刃有餘。

鏡頭下每一個儀式細節，都在以愛創世紀

宇宙原為混沌空虛，神說要有光，然後就有了光，
然後創出了空氣、海、大地、蔬果、飛禽魚類走獸、節令、年歲、眾星，
還有一男一女。
整個神聖的創造過程都被紀錄下來，
流傳至今。

接下來，這一男一女繼續以愛繁衍奇蹟，
選一個特定的時空，舉行他們的結婚儀典：
初識激愛的光譜、熱戀甜蜜的色溫、雙入雙出的剪影、
專情彼此的焦距、互許誓言的快門、簡單生活的景深，
這是一場羅蘭巴特戀人絮杯的婚宴，
每一個儀式細節，都在創世紀。

接著，在兩人的居所，
開始創造屬於他們的陽光、空氣、花和水，
或許有了孩子，或許有了盆栽、寵物、魚缸，
他們從此有了自己的喜好、自己的生態、
自己的紀元、自己的編年史、自己的節令年歲，
有了共同的家族血源、奮鬥目標、愛與生命話題。

在兩人重要的創造歷程上，需要一位如神視野般的導演，
近距離陪著一起寫下這獨一無二、令人驚嘆的所有發生，
需要一個對人洞察入微的攝影師，
以深遂的鏡頭，紀錄正在以愛繁衍的美麗歷史。

部落格上知名的寶寶攝影師：熊

曾任視覺設計、動畫分鏡、音樂MV動畫編輯、多媒體製作、導演，
他曾拍過一千多個寶寶，
你很難找到，比他更懂得生命原始感動的攝影師。

D

影音・故事・有情節的感官

環境驟變，人心瞬變，
站在版塊流變的當口，
我們迫切需要一個新視代。

長出新的臍帶，與大地重新聯結，
向各維度匯取得新的滋養，
於是我們有了宏觀的思維，微觀的官能，
複眼的世界，生命因此衍生出了多元的吐納系統，
深耕的足，無羈的翼，行動出縱深寬闊的疆域。

基因排序已重組，
新視代的柏拉圖、達文西、米開朗基羅、泰戈爾已經誕生，
整個世界因此換了面貌。

等一個愛人，要花多少時間

我們總在很不小心的時候，掉了最重要的情人，
之後得花好幾十年的思念找她，
然後一起死或一起老。

這是發生在上海蘇州河的愛情故事。
情節路徑複雜，
藉著一個在記憶中走失久的美人魚，
在上海的街弄河畔，談機遇、命運、忠
貞、永恆、生死與相不相信的問題。

凡於二〇〇〇年十二月九日起，
到戲院購買《蘇州河》電影票兩張
就送你這個世紀最末
珍貴量產的愛情沙漏一只，
讓你計算等一個愛人，要花多少時間。

My Story故事影片製作，是傾聽您生命的紀實團隊

當您願意分享，生命就開始有了不一樣的意義。
My Story，以數位科技記錄真實人性，
以最有創意的視點，保存您的故事。
當您願意把自己的真誠交付在鏡頭前，
愛就有了聲音，
有了影像，有了分享，有了流動，有了永恆。
無論是您的家族史詩、事業長卷、
情感故事、孩子成長日記、個人傳記軼事……，
My Story，傾聽您的需要，
為您創意編劇、精彩紀實，
以專業完成您的生活電影。

當您願意託付，
我們將為您安排最動人的追憶之旅：
在回溯中審視驚喜，在旅程中採集豐收，
在一個章節的結束後，
留存一段動人的影像故事，
我們希望，生命最美的一切，
都應該被百分百地留下畫面、聲音、
笑、淚與感動的每個細節，
當您想要再回到過去那個片刻時，
就有真實的場景可以再次體驗。
也向未來留下永恆分享的版本。

當拍攝工作完成，
My Story亦會精心地將您的紀錄影片，
以獨特的方式包裝完好，
無論您需要分贈親友，
或是上傳網路給在遠方的家人分享，
My Story都會做到令您驚歎不已的攝後服務。

此外，亦可針對您的需求，
為您在My Story保密庫裡，
嚴密保存這份珍貴的備份；
從此，您就有一個最安全、
最值得您信賴的記憶寶庫，
百年收藏著您的數位企業史、數位羅曼史、
數位家族史、數位成長史，

因為我們的用心參與，
在鏡頭中融入好的聆聽品質，

讓您的生命有了不一樣的悸動，
有了與其他人重新聯結與感動，
您將擁有全新的動力，開啟新的旅程。

您是自己生命的導演、自己生命的製片、
自己生命的演員，也是自己生命的觀眾。

My Story＝
Discover+Biography+Anthropology
一個結合日、港、台技術精英的故事製作團隊，
期待與您不凡的生命，
共創一場精彩的影像旅程！

My Story，正式邀請您擔任我們的故事製作人！

時間每分每秒地流逝，但所有美好的愛與相聚，我們都要百分百地都留下來！

——My Story，第一時間記錄你生命感動的團隊，
即將上線！

一生一故事，一團隊全程伴隨的生命記錄：
因為時間不留情，帶走了我們生命中部份的
人、事、物……沒有記錄，

歲月會消磨你的細節，只剩下越來越模糊的記憶。

每一個生命都是唯一的，都有獨特的價值，
這也就是為什麼
每個改編自真實故事的電影最感人。
一個人一生就這麼一個故事，
一百個人就有一百個故事，
即使主角走了，
故事還繼續流傳著、感動著越來越多的人。
你是自己生命的導演、自己生命的製片、
自己生命的演員，也是自己生命的觀眾，
缺的只是專業的生命記錄團隊，
協助你把點滴的感動，真實地記錄下來。
這就是我們成立
「My Story——生命記錄團隊」的原因。

我們將以Discovery的態度，
盡可能地努力補遺過去，
記錄當下，追蹤未來……，
有了審視與分享，
您生活的意義
將開始不同。

如果你的作品還沒進CNEX，表示你還沒被全世界看到！

下一秒，永遠像負片一樣未開發，可以去活，可以去死，只要我們願意去談它。

時代跑在前方，和無盡的求知欲一樣大，所有人在運鏡中穿越理想的藍圖，
每一片刻，都被銳利的鏡頭瞬間化為歷史，留在我們身後的採集籃裡。

把人性投射在大螢幕的衝動，對永恆幾乎絕望般的渴望，
所有因人而起的傲慢與抒情，鏡頭都將從這裡進入。

原始竟是如此的美好，手上的這卷影片，就是證據。

協和客機把整個大西洋都刪除了，CNEX卻恢復了整片太平洋，
以原創性最高的初生影像，重新聯結全亞洲的華人，
精神與物質、東方與西方、城市與鄉村、
男人與女人、老人與小孩、富人與窮人，

都有了端詳彼此、劇烈交換生命視點的溝通平台。

所有尚未被記錄，但終被矚目的人，
所有尚未被看到，但已經發生的事，
都會被CNEX找到。

如果你的作品還沒進CNEX，表示你還沒被全世界看到！

這是主題式的影像實驗室，也是進行式的對話殿堂，
每一寸思維，都在時序中留下了探索的軌跡，
每一筆夢想，都在空曠處留下了自由的塗鴉，
每一部影像，都在發言台留下了精彩的表達，
每一種文化，都在螢幕中留下了的經典例證。

全球視野，在地行動，
Connecting Next，Collecting Next，Creating Next，
新鮮的人類影像檔史正在募集，
CNEX，已經誕生：www.cnex.org.tw

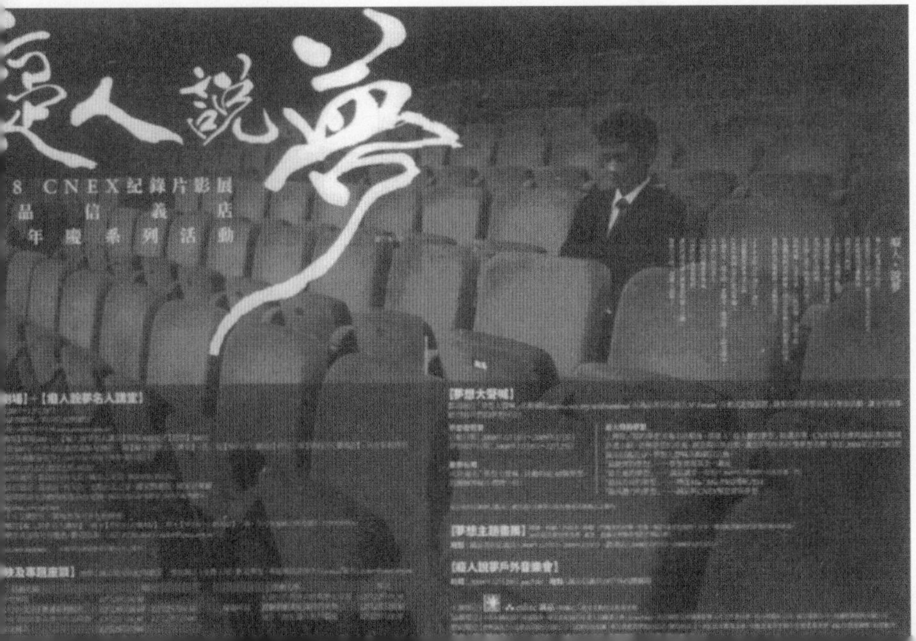

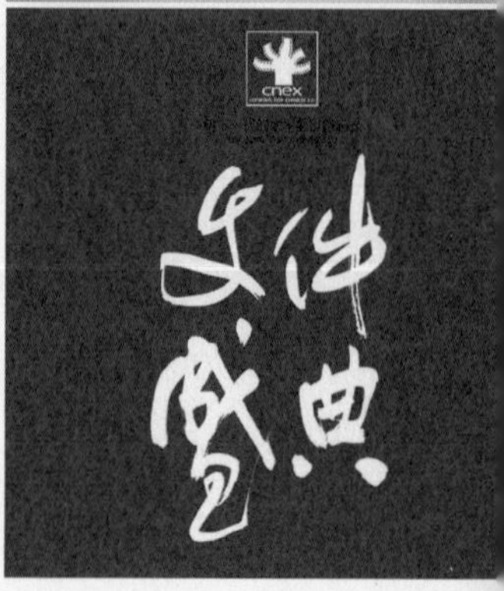

開眼．見錢

「開眼．見錢」為CNEX提供的影展主題

誰給錢？誰收錢？誰有錢？誰沒錢？
誰存錢？誰花錢？誰捐錢？誰騙錢？誰分錢？誰搶錢？

錢不只是人與人之間財富的流通工具，
也是權力的交換、愛情的承諾、美麗的資本、自由的代價、
幸福的指數、成敗的關鍵、自尊的強弱、未來的保證。
錢在凡塵裡流通，就像血液在身體裡流動，
順暢就能神氣活現，阻塞了就百病叢生。
所有悲歡離合的起因都不在金錢本身，
而是人對於錢的貪捨態度。

二十年之間，錢的來源從「省來的」、「賺來的」到「借來的」，
財富的用途從「用來存的」、「用來還的」到「用來花的」。

錢因人心的明暗，
輻射出「創意多產的富足天堂」與「紙醉金迷的欲望深淵」，
交織成形形色色的人生百態。
賺錢，為了何人？花錢，為了何物？
缺錢，又是為了何事？
二〇〇七年讓我們一起向「＄」看，
以文字、圖片、影像、論述，
思考錢的價值、觀察錢的曲線、追蹤錢的流向、
目擊錢的事件、紀錄錢的傳奇……

CNEX正在記錄，每分每秒值得大口活的日子，
CNEX正在找，讓全球華人在沙發上同時感動的力量！

抵達新意境的心靈，絕不會再退回到原先的視野

這是優秀視覺帶領您與您的顧客們，一路挑戰最高美學的野心！

www. ushowdesign .com

視野 Vision

黛安・艾克曼（Diane Ackerman）曾說：樹木引導我們的視線，從大地到天空，聯結生命細節與無際穹蒼——優秀視覺正是那個向上延伸的視野，我們提供了廣遠變焦鏡頭，讓您從現有的品牌帝國，帶領著您的觀眾，望向滿天星系的浩瀚壯麗！

敏銳 Sense

嗅覺是一種獨特的天賦，能辨別每一杯牛乳的情緒，每一瓶葡萄酒的年份，每一壺咖啡的土地，每一幅畫的氣候……優秀視覺有一種獨特的嗅覺，能在流行形成之前，先聞到風的意願、浪的動向，以敏捷追上敏銳，一群創造時尚的始作俑者，正在以鏡頭、圖像與檔，製造下一波話題，以初生之犢不畏虎的氣勢，撼動著眼前的世界！

精工 Art

觸覺，介於我們與世界之間，是最古老也是最恆久的官能。

優秀視覺手工打造品牌細節，以環保且獨特的創意質材，為您的願景精工創世紀：一條新的天際線自平地升起，您的企業名字，已經是這個時代的美學新指標！

對流 Convect

莫勒夫婦（Daphne&Charles Maurer）描述新生嬰兒：他的世界在他聞起來，就像我們所聞到的氣味那樣……，他的世界是強烈芬香的混戰。優秀視覺以二度、三度空間的設計魅力，創建出人與人之間越來越盛情的對流氛圍——我們不僅在形成氣流，也在主導一種大規模的感染，在一張有魔力的DM折頁間，在一間數坪大的Show Room風暴裡！

讓我們持續在靈魂層面上，高速筆談！

你懷裡的手機，
是我以愛與思念
守護你的精神隨扈。

對著手機邊走邊寫，
二十四小時卿卿如晤，
招供般地發簡訊給你，
隨時隨地進行我們的馬路文學。

以感動淬煉出香醇雋永的短句，
復興五四時代
徐志摩短如詩濃如酒的靈魂極短篇。

讓我的文字
追上你移動的速度，
讓我們持續在靈魂層面上
高速筆談：

陪著忙碌會議的你，在高壓的片刻被一則笑話逗開心，
陪著想狂野的你，盛裝夜赴嘉年華會狂歡，
陪著不想說話的你，安靜地登上喜馬拉雅山。
陪你到老，陪你走天涯。

聽不到你，看不到你，
於是我們以文字來做無聲的同步心電感應。
無論你人在哪，
我都能藉著你的手機
循線找到你，
全天候地守著你的存在。
簡訊文學體，開啟了科技文藝復興時代。
人手一機，
就是我們彼此串連愛，
無阻地傳遞感動文字的新介面。
第一屆誠品・台灣大哥大myfone行動創作獎，
已經開始。

讓我們持續在感官層面上，互相聆聽！

我們之所以真正幸福，
是因為只要一思念，
就可以隨時隨地
聆聽到彼此。

你的憂傷、你的獨語、你的秘密、你的渴求、
你的願望、你的興奮、你的甜蜜、你的感動，
我都能透過手機直播頻道，
聽到你
可說與不可說的
心情現場。

當這個世界只剩下聲音，
我們就擁有了

視覺的最大想像力：
想像你的愛，你的歌聲，
在海邊、
在海王星、
或是在海鮮餐廳，
都可以成立。

於是我有了：
把你的聲音，
放在宇宙任何一角的最大特權。

第一屆誠品．台灣大哥大myfone
原創歌曲鈴聲創作獎，
讓你的聲音不再寂寞，
讓所有的人於各自所在的場景，
想像你，聽見你！

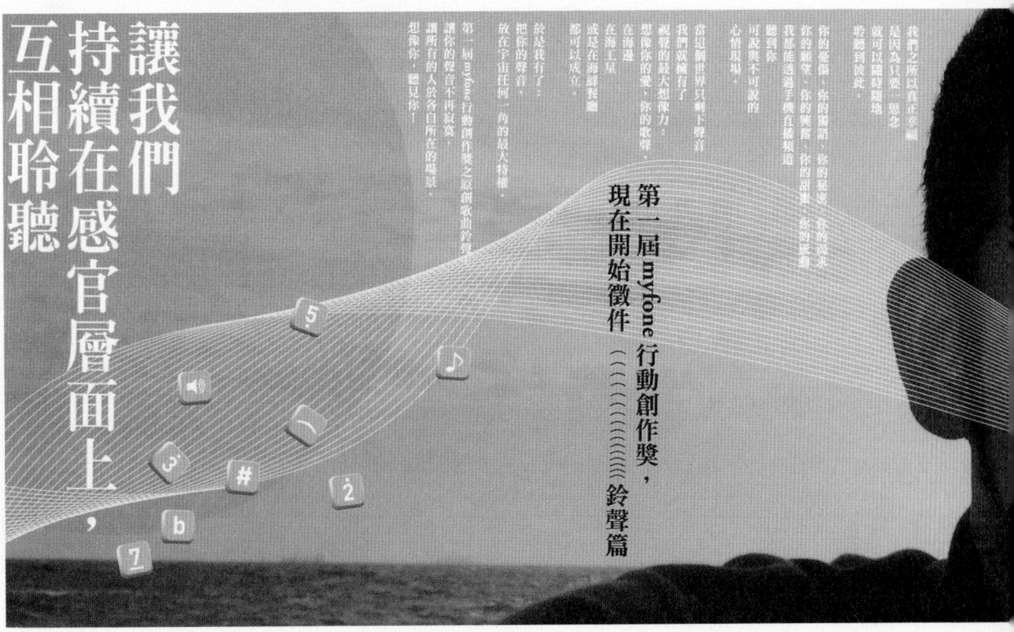

穿越時空的愛，比歷史更久，比詩更濃

幾世以來，我對你的愛未曾改變，
以前一筆一劃地著墨我的掛心，
把思念透進紙的歲月底。
奔馳千里，經過數日數月，
你才收到我要你吃飽穿暖的叨叨絮絮。

現在的愛可以很即時，沒有時差，
每一分秒的思念，化成一整幕動心的字句，
耳邊的細語從此不必經過第三人，
以光速抵達，比飛鴿傳書快，
只比心電感應慢幾秒。

我的愛不害怕表白，
說不出口的，都以手比照心跳的震動傳給你，

無論你的樣貌、心情、所在位置如何變幻無常，
只要你的號碼不變，我的文字就可以穿越時空疆野，
認出你正在閱讀的臉。

第三屆台哥大myfone行動創作獎
在整個地球上空徵尋情書、家書、與所有人共鳴的鈴聲，
無論你想表達自古以來多少世、多麼深的情事，
請一律在西元二〇〇九年七月二十日午夜十二時之前上傳，
所有人將見證你永恆的愛，比歷史更久，比詩更濃。

二〇一一年，以手機傳誦我們的顛峰盛世！

你的人生將到達一段：
截至目前為止最璀璨的高峰，
二〇一一年就是！

在每個歧異點上創造出你真正想要的命運高峰、
你的個人奧運會，
並與你所創造的一切合一。
你需要採用簡訊體，
呼吸、思考、走路、工作、吃飯、聊天、度假、閱讀、
觀察世界、寫字、哼唱、寫詩、說故事、
與所愛的人相處……
做自己命運的冒險家、感動採集者、愛與幸福的紀錄員，
以筆記、情書、家書的形式，
紀錄命運瞬間的峰迴路轉、兩人之間的柳暗花明、

以及家人精心安排最值得回憶的美好旅程……
此刻的你就已與前一秒的你截然不同，
所有的驚喜轉折點，
在你的手機上將成為最新鮮的史料。

當我們每個人都順利登上了制高點、
站上了至今以來的最高海拔，
我們就能在各自的頂峰上，
看到更恢宏廣大的版圖；
在雲端上同時目睹並書寫下：
永恆！

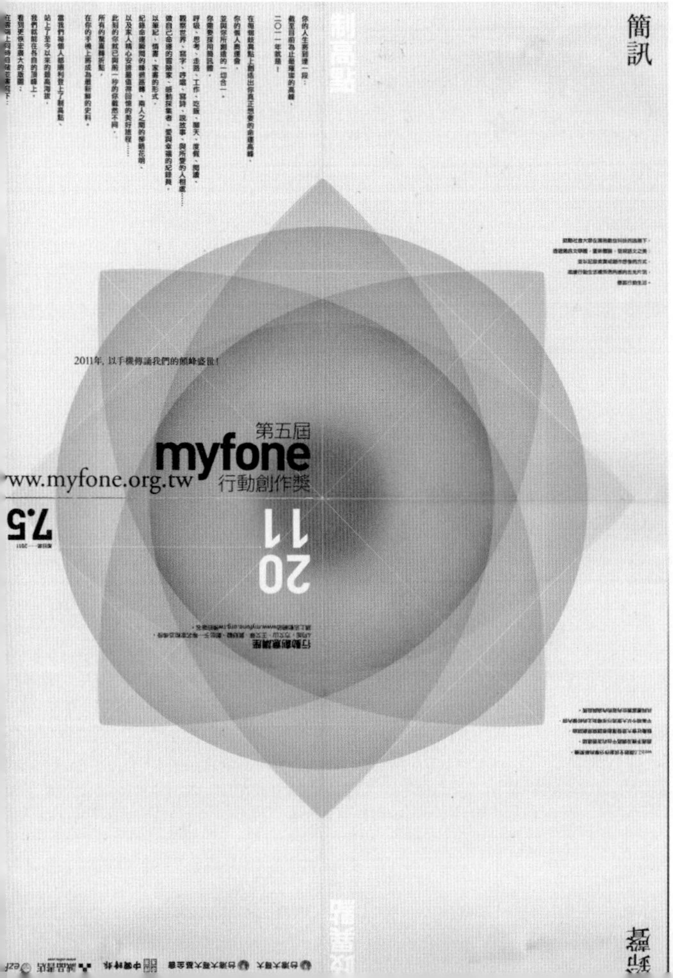

從你開始書情二〇一二的那一天起
愛就超越了現實，變成詩！

西元前三一一三年前古馬雅人
預見西元二〇一二年十二月二十一日冬至日
太陽將與銀河系中心對齊成一直線
這是兩萬六千年才會有一次的難得宇宙奇觀
也是古馬雅曆新舊大周期歷史的交接點！

就在地球與銀河的心最接近的此刻
我們以愛與身邊的人更緊密地連成一線：
我在遠方，只要你想到我，我就在近處
我的愛認得你的眼，就像你從人群中認得我的笑容
想望見整個宇宙不必抬頭，
凝視我傳給你的訊息，你就能看到我的全世界！

二〇一二是周期的交替，也是我們以文字影音交換愛的最佳時刻，

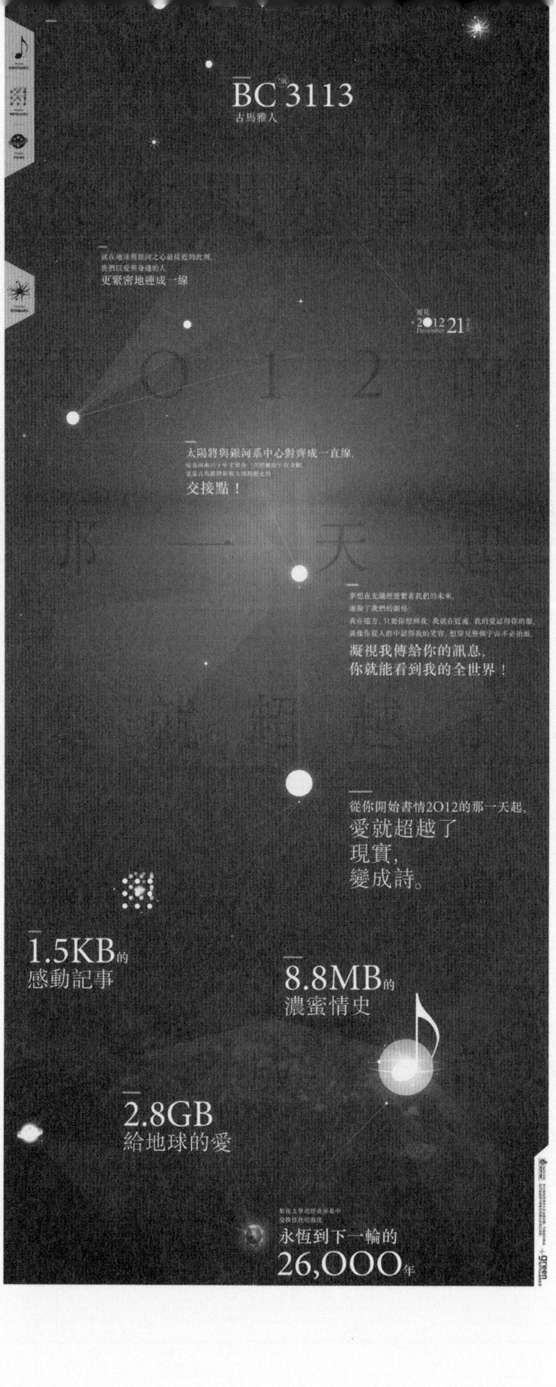

夢想在光纖裡連繫著我們的未來，虛擬了我們的關係，
只要一封有溫度的訊息，就能緊抱彼此。
從你開始書情二〇一二的那一天起，愛就超越了現實，變成詩，
1.5KB的感動記事、8.8MB的濃蜜情史、2.8GB給地球的愛……
都在文學的經典屏幕中，永恆保鮮到下一個兩萬六千年！

二〇一三，你夢想純度最高的這一天！

如果說二〇一二是毛毛蟲的末日，那麼二〇一三就是蝴蝶的新生！

Marilyn Ferguson說：進化不是逐漸添加東西，
進化是真正的轉變，是基本結構的重組，
如果骨頭的結構沒有跟著改變，那麼翅膀一點用處也沒有。

不要用舊思維、舊結構，日復一日重覆昨天的軌跡，
每一天都是全新的機會，可以重新看待自己、重新對待自己所愛的人，
每一天都是一次清醒重生、靈魂骨架重組的過程，
你做的每一個新決定，就是跳進新生活版本的起點。

你怎麼過今天，就怎麼過一生！
你用什麼態度過今天，就會決定這一天的版本與結果，
一天下來就天差地北，甚至有的人、有的國家，
就因為這一天而翻轉了整個命運——

從你今天拿起手機寫的第一個字、說的第一句話、紀錄的第一段影片……
就與昨天的你徹底不同，與眾不同。
主宰自己的生命演化，活出此生最美好的一日版本，
今天就會是蛻蛹張翅最關鍵的一天！

春天的第一口氣息，是從一朵花開始的，
讓我們從自己的這朵花，開啟我們的新世界。
用鈴聲召喚大家，以簡訊串連愛，拍影片觸動每一個人覺醒，
我們就是主筆自己未來命運的作家、編導未來更美好的創世紀導演——
第七屆台哥大行動創作獎，現在已經開始紀錄：
你夢想純度最高的這一天！

天賦創作慾，就是我們分享的行動力！

生命從未停止變動，每一次呼吸
每一個步伐，每一回起心與動念
決定與行動都是嶄新的

智慧型手機已經將我們的生活
革命成一個全新的紀元
改變了我們的語言型式
蛻換了我們的溝通內容
釀成了我們新藝術潮流

手上的手機就是我們第一線的發言講台
情話密室、密友幫團、協商場域、導演鏡頭
也是我們新圖騰的原創洞穴

我們以科技向上天取回了演化主權
成功興起了一個新文明
每個血氣方剛的年輕人，都能隨心所欲高速創作出
接下來一切無法預期的驚喜
一針見血地傳遞著前所未有的時代價值觀

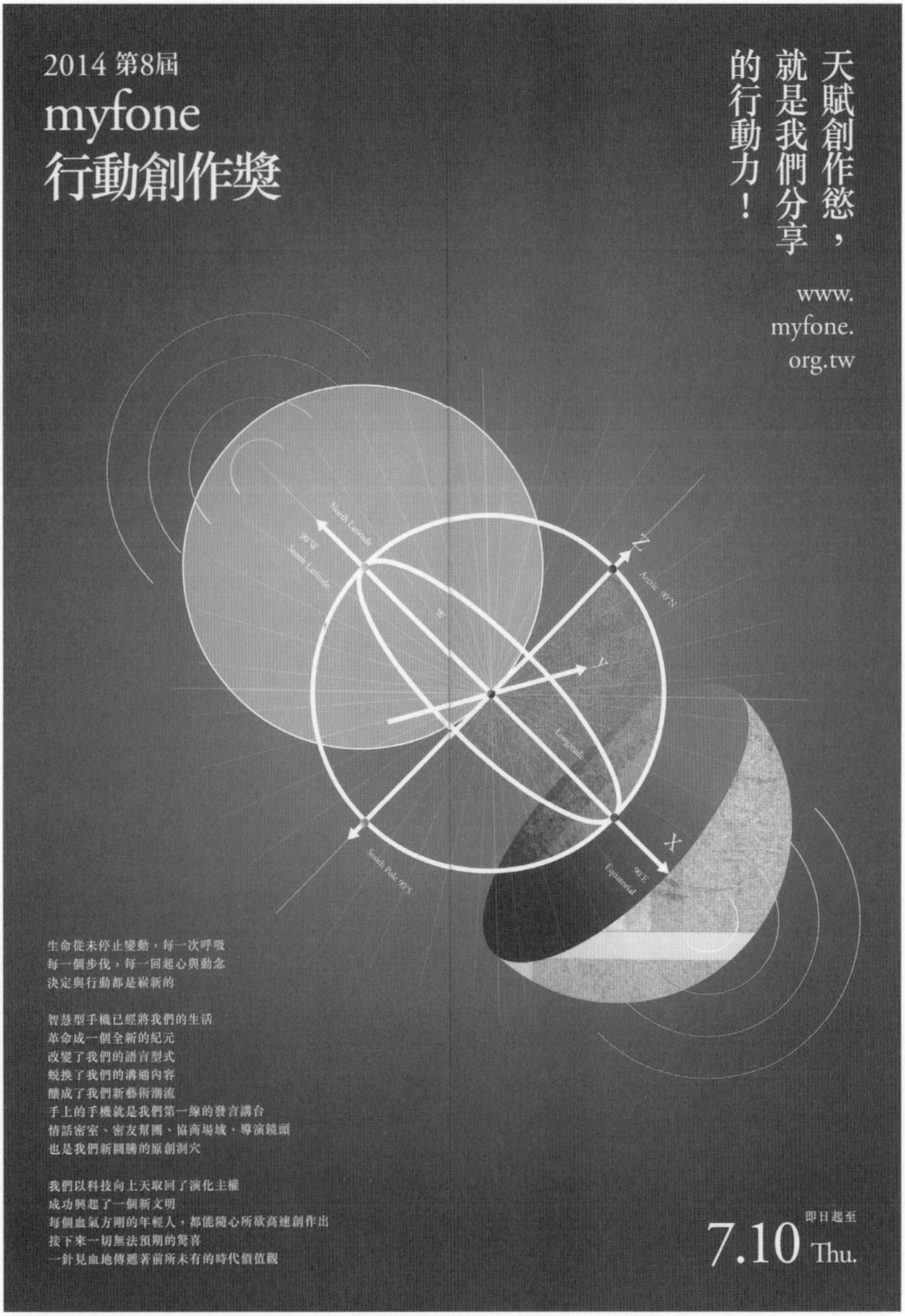
2014 第8屆
myfone
行動創作獎
天賦創作慾，
就是我們分享
的行動力！
www.
myfone.
org.tw
North Latitude
South Latitude
Z
Arctic 90°N
Y
Longitude
X
Equatorial
South Pole 90°S
生命從未停止變動，每一次呼吸
每一個步伐，每一回起心與動念
決定與行動都是嶄新的
智慧型手機已經將我們的生活
革命成一個全新的紀元
改變了我們的語言型式
蛻換了我們的溝通內容
釀成了我們新藝術潮流
手上的手機就是我們第一線的發言講台
情話密室、密友幫團、協商場域、導演鏡頭
也是我們新圖騰的原創洞穴
我們以科技向上天取回了演化主權
成功興起了一個新文明
每個血氣方剛的年輕人，都能隨心所欲高速創作出
接下來一切無法預期的驚喜
一針見血地傳遞著前所未有的時代價值觀
即日起至
7.10 Thu.

心・科技

科技隨心所欲，創意無所不能！

第九屆MyPhone行動創作獎，向全天下網徵心科技影音圖文傑作！

數位，
讓能跨界的人無所不在。
科技，
讓有創意的人無所不能。
文化，
讓有故事的人無所不談。

這是人類有史以來最超能的黃金時代：
藉想像力創造自世界
以數位繁演多重宇宙
傳字、傳圖、傳聲、也傳心
傳影像、傳故事、也傳溫度

每一個人都在獨特的天命中創造驚喜，
在自己的天賦中綻開出多層次的花瓣！

第九屆myfone行動創作獎
正在創造一個分秒鮮活的心科技影音創作平台
向全天下網徵有創意、有生命、有溫度的簡訊、鈴聲、貼圖及微電影
歡迎你，你也在其中！

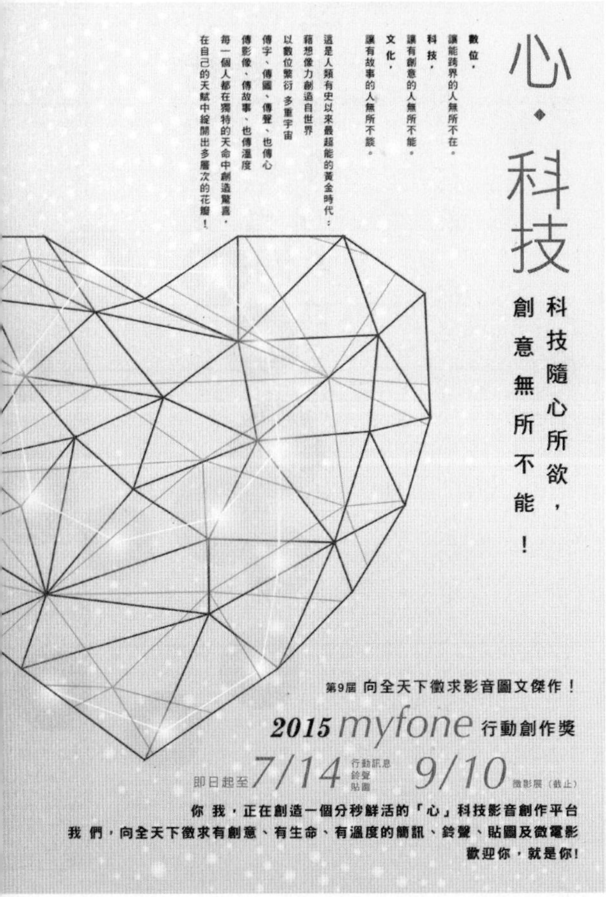

心・科技
數位，
讓能跨界的人無所不在。
科技，
讓有創意的人無所不能。
文化，
讓有故事的人無所不談。
這是人類有史以來最超能的黃金時代：
藉想像力創造自世界
以數位繁衍 多重宇宙
傳字、傳圖、傳聲、也傳心
傳影像、傳故事、也傳溫度
每一個人都在獨特的天命中創造驚喜，
在自己的天賦中綻開出多層次的花瓣！
科技隨心所欲，
創意無所不能！
第9屆 向全天下徵求影音圖文傑作！
2015 myfone 行動創作獎
即日起至7/14 行動訊息 鈴聲 貼圖
9/10 微影展（截止）
你 我，正在創造一個分秒鮮活的「心」科技影音創作平台
我 們，向全天下徵求有創意、有生命、有溫度的簡訊、鈴聲、貼圖及微電影
歡迎你，就是你！

你的私人史，
自二〇〇七年起將被正式納入
浩瀚永存的數位文化史中！

生命悠長，但記憶只容許片刻留存，
此時此刻，
讓我們相約二〇〇七年七月二十一日〇〇：〇〇止，
為精彩的前半生暫做總結。

讓我們端詳彼此曾發生過的：
心念的反差、情緒的光譜、故事的色溫、感動的景深、
知識的輪廓、智慧的角度、夢想的焦距、創意的快門，
以五張明信片大小的窗口，
向全世界展現你生命中截至目前為止
最獨特驚豔的五間SHOW ROOM。

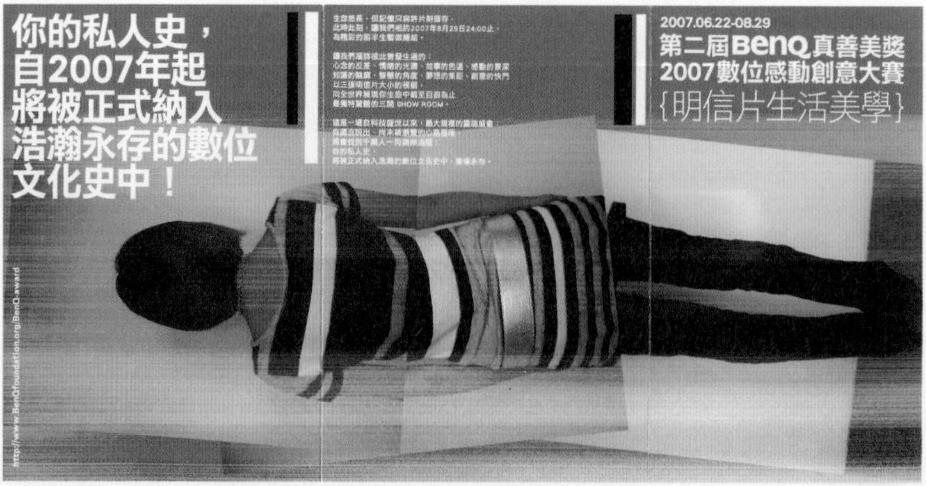
你的私人史，
自2007年起
將被正式納入
浩瀚永存的數位
文化史中！
2007.06.22-08.29
第二屆BenQ真善美獎
2007數位感動創意大賽
{明信片生活美學}
http://www.BenQfoundation.org/BenQ-award

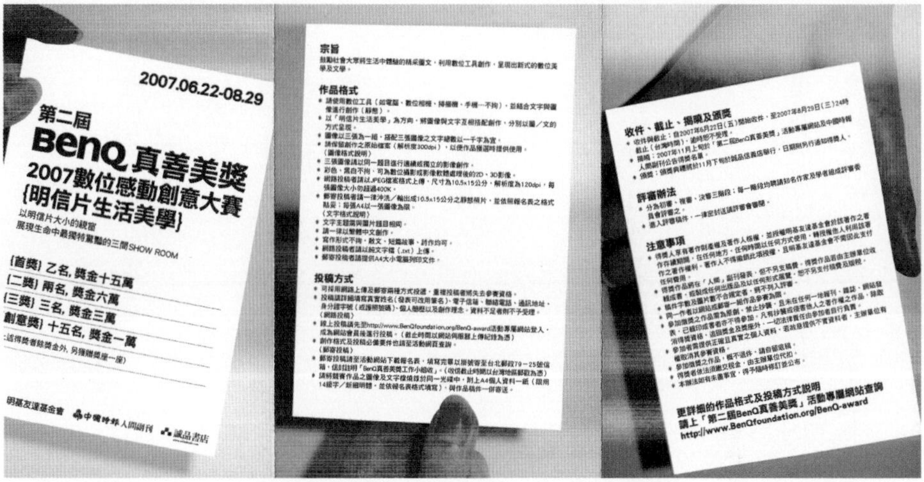

這是一場自科技盛世以來，
最大規模的靈魂盛會：
你還沒說出、尚未被流覽的心路歷程，
將會找到千萬人一同調頻追隨；
你的私人史，
將被正式納入浩瀚的數位文化史中，
廣傳永存。

明基真善美獎：
二〇〇七數位感動創意大賽
我們要未來無盡的數位文明，
自每個人真實的靈魂私領地中出土；
數位文學史與美學史，
從你這件圖文作品開始立下標竿！

記憶紀元

想要以後能想起來的事，
就寫下來吧。

想要以後忘不掉的人，
就拍下來吧。

未來想憶，現在就記。

旅程此刻還在顛簸，但總有一天會遠離顛倒夢想，
現在行進中的日月寒暑，全拍下來，
明天再參。

情緒此刻還在沈浮，但總有一天會上岸觀浪自在，
今天想不通的愛恨情仇，全寫下來，
明天再悟。

記錄下來的興衰都是永恆經典，
與時間無關，
全都沈澱在你的生命岩積層裡，
能再挖掘出來的，
不是痛苦早已被風乾的化石，
就是智慧光芒極耀眼的晶鑽。
為了不讓記憶被時間沖逝，
現在開始記載。
今天是我們以圖文寫歷史的
『記，憶』紀元。

每一段發聲，就是一次物種演化

Meredith Monk自體發聲。
Meredith Monk極致發聲。
Meredith Monk終極發聲。
Meredith Monk擲音有聲。

人聲試驗獨步劇場Meredith Monk首度來台，
每一段發聲，
就是一次物種的演化，就是一個民族的興亡，
就是一天世界運轉的能量。

唯一完全傳達人類精神狀態的表演，
沒有樂器可以完全模擬的聲音境界，
只有Meredith Monk。

一九九七年二月二十四日

影片、WORKSHOP、CONCERT

首次發聲，在台北現場。

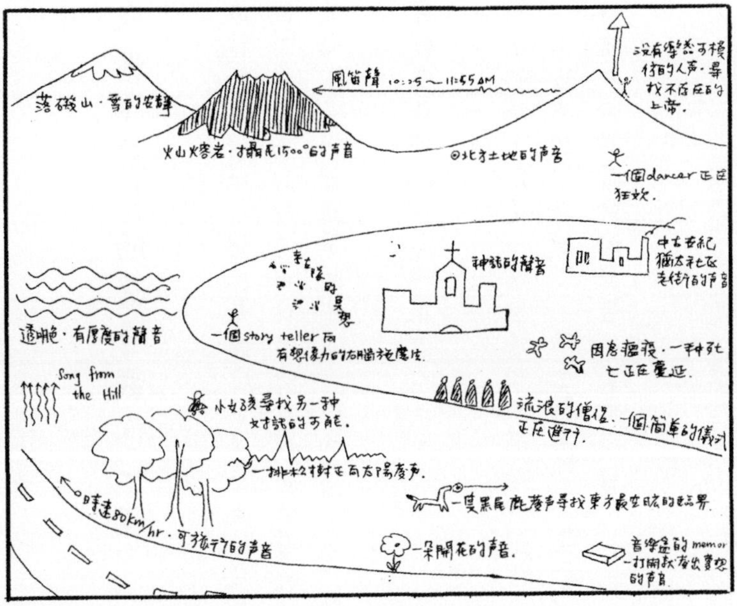

Meredith Monk發聲版圖

人類聽覺所達的極大音環境

認識Monk，就在動筆寫Monk的那一天。

一個晚上看完了Monk的影片，聽完Monk的聲音，

就畫了這張圖。

後來因病，在Monk現場演唱會當天缺席，

門票據說是全數賣完了，

謝謝Monk。

以世界最輕的聲音載你一程

波特萊爾的一行詩，是衡量靈魂重量的尺度。
但丁將消失的時光再現情緒，以神曲重獲時間。
波赫士是一個簡單的宇宙，Ketil Bjornstad也是。

靈感來自詩的一小時音樂工程。

一根游絲，即是一次無法預言的即興創作，
四面皆空的安靜變奏，Ketil Bjornstad的琴書，
決定以世界最輕的聲音，載你一程。

關於作曲家凱特爾・畢卓史坦Ketil Bjornstad

一九五三年出生的凱特爾・畢卓史坦，曾經與當今最具才華的北歐指揮家馬里士・楊頌斯，在奧斯陸愛樂共事，也曾被視為挪威當地《巴爾托克第三號鋼琴協奏曲》的最佳詮釋者之一。「夏天作曲，冬天寫詩」的凱特爾，以其獨特靜謐的彈奏風格，投身於即興音樂領域，並成為ECM的代表性鋼琴演奏者。

卡爾維諾《給下一輪太平盛世的備忘錄》
提供下一個千年的文學視野。

奧斯陸鋼琴詩人Ketil Bjornstad的Pianology，則是音樂形式的版本：

輕

向慾望借翅，以米蘭昆德拉的輕盈，用聲音的浮力，躍過高重力的城市。

快

以湯瑪斯的快板，用世界上最好的音樂載你一程。

準

波特萊爾的一行詩，一如古埃及人以一根羽毛做為天秤上的砝碼，是用來衡量靈魂重量的終極尺度。

顯

但丁將消失的時光再顯情緒，以神曲重獲時間。

繁

波赫士是一個簡單的宇宙，Ketil Bjornstad也是。

請以五十分貝的精神專心聆聽，
Ketil Bjornstad將帶你直抵伊塔羅・卡爾維諾的國界邊緣，
直到下一個世紀來臨。

E

夢想・科技・數位藝術

地球萬事萬物，在天堂都有理想的版本，
其重要性並不在於它們是否真實存在，而在於我們無瑕的追求。
——柏拉圖

用想像力幫自己在難以適應的現實社會中，
不停地在網路世界中找出口，
就像走失在百年無人的大宮殿中，
發現一個個可以自得其樂、夢想版圖無限蔓延的微宇宙。

想像力永遠走得比文明快，
沒有想像力，
網路也無法帶著你無遠弗屆。

知識已經無法放進一張地圖，所以我們給你一個網址：www.eslitebooks.com

誠品十二年，誠品全球網路元年。三月六日週年慶暨發表酒會。全面狂歡慶生中。

新世紀與舊世紀的差別，
不是在十二月三十一日那天倒數跨世紀、然後煙火歡樂的幾秒鐘，
而是我們在此刻，真的看到了一個新天際，
一個以無限的想像力、有心的人力建構而成的知識星系，
在這個夢想滯銷的危機時刻，找到我們繼續堅持的理由。

一本寫了多年的書，等不及大家坐下來好好看，好好地討論，
然後就下市了。很多作家都在寫著沒人會打開的書。
這是一個生產知識卻不懂得珍存知識、
資訊過剩卻是靈魂極饑荒的年代，
我們還在創造轉機，試圖幫這個城市找到奇蹟。

誠品在十二年前，創建一個有啟發性的舒適閱讀空間，
像一個溫暖的圖書館，把人留在書邊久一點。
然後她變成一家你二十四小時都可以來看書、看人，
或是來閱讀正在看書的人的地方。

地上留著無數條移動的足跡，書有了活絡的移動，
所有書與人相處的話語經驗，
所有你與這個城市獨處或相約的點滴，
我們在十二年後的今天，
想和你一起來交換記憶與夢想。

十二是生肖，是星座，是人類分類的大全，
十二是一個嬰兒到了上國中的年齡，
時針回到原點，誠品走了一輪，
文明已經開始了十二年，理想也堅持了十二年。
現在我們建立了誠品全球網路，
以不死的求知欲，進入知識的全盛期。

新世紀的第一次生日，誠品心喜地交出努力的成績，
我們不相信眼見為真的期望會消失，
也不相信網路已經泡沫無形，
因為夢想這件事是誠品做的，所以意義就不同。
只要愚公的信心不移，沒有人可以阻擋一座山的前進。

誠品書店十二歲，誠品網路誕生元年，
虛擬與實體書店同時完滿一個愛書人的日夜夢想，
我們還有再堅持一個世紀的理由。

全網創世紀www.eslitebooks.com

我們在有限的書店空間中無法完成的夢想，我們將在誠品網路的虛擬世界裡實現。

——誠品全球網路創辦人：吳清友

西元前三世紀，埃及亞歷山卓圖書館，
在港口攔截並一一謄收往來船隻上的所有卷軸，
收藏了十萬卷，全世界所有的書。

中世紀的歐洲修道院，
為了古希伯來經文卷軸在書架上，應該直放還是橫放爭論了上百年。
書與書架互成垂直、然後層層架構如網的野心，
滿足了人的求知欲，卻放不下書店有限的藏書空間，
所以我們得找一個地方，
一個既深且廣，時間與空間不設限的知識礦藏處，
自由Hyperlink你的出口，以光學閱讀一本書的永恆價值，
帶著所有不滿足的靈魂，找到所有思想的智產不用饑荒，
不讓任何一本心血數年的作品，在商業的高度夾縫中瞬間消失。

二十一世紀之初，
科技繼承了亞歷山卓圖書館收藏、並讓全世界知識各得其所的野心，
所以我們成立了誠品全球網路。

沒有什麼事物能活得比書久。
就像Henry Petroski說：書架的用途是書決定的。
在這個世紀，誠品決定用這種方式收藏更多的書與文明：
我們找到了可以放無限本書的空間，而且正在努力讓她富足。
半夜無助時，你可以在這裡找到哈利波特的最新冒險；
白天困頓時，在辦公室的電腦桌上就能找到榮格的靈魂出口。
我們將要找齊，千年以來人類已產生出的靈思與自然的啟示，
然後用創意的、有主題的觀點分類，輔以深度評論、延伸資料，
建構一個有趣的知識系譜，讓你在大規模的搜尋路徑中，
享受觸類旁通遇見一本好書的驚喜。

這將是一個在你眼前的國家圖書館、萬神殿、藏經閣、讀書市集，
也是你的私人書房、獨處修道院、心得告解室、創作室、社群交流沙龍，
和一間自我取閱的享樂室。

知識已經無法放進一張地圖，所以我們給你一個網址：
www.eslitebooks.com

William Ewart Gladstone說：在一個擺滿書的地方，沒有人會感到孤單。
誠品書店十二歲成年禮vs.全網元年初生禮
虛實滿足你意識與潛意識的讀書欲。

一位變數位，藝術家變e術家

一位變數位，藝術家變e術家。
高感度的科技改變創意的路徑，
創作不再孤獨，e術家藉著電腦瞬間紅遍全球。

夢想大興土木，科技打造藝術全盛期。
我們需要二十一世紀的達文西，
數位思考的米開朗基羅，擅用電腦繪圖的莫內，
成立影像商用銀行的畢卡索，
會開太空船的哥白尼，熟練虛擬實境的莎士比亞……
才華轉成財富，藝術現金增資，
讓所有的發明家、探險家、藝術家、作家
用電腦科技脫離三餐不繼，
以想像力虛擬一個更美好的世紀。
千禧年第一波大規模的文藝復興，從二〇〇〇數位藝術紀開始。

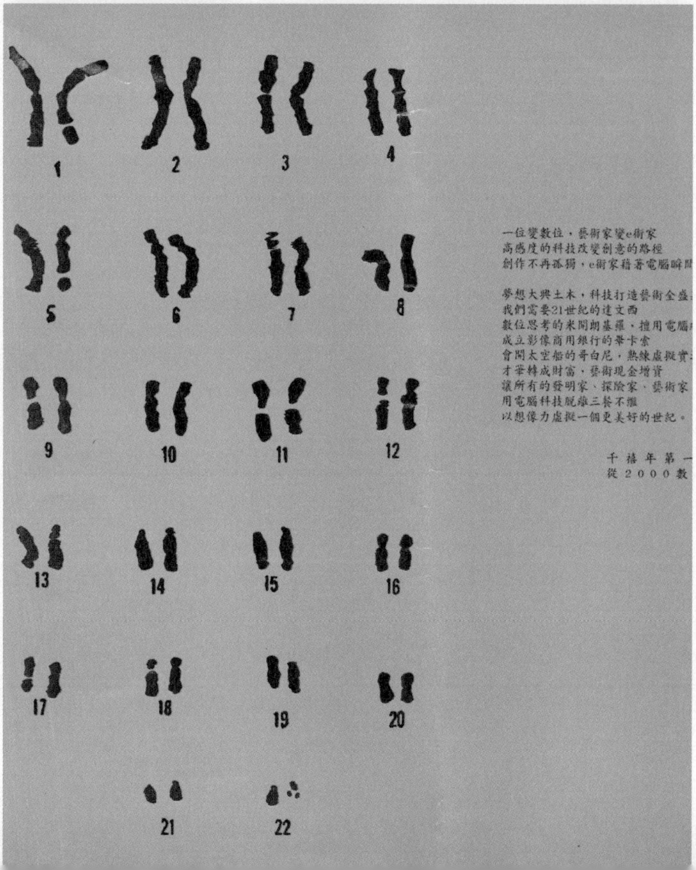
一位變數位，藝術家變e術家
高感度的科技改變創意的路徑
創作不再孤獨，e術家藉著電腦瞬間
夢想大興土木，科技打造藝術全盛
我們需要21世紀的達文西
數位思考的米開朗基羅，擅用電腦
成立影像商用銀行的畢卡索
會開太空船的哥白尼，熟練虛擬實
才華轉成財富，藝術現金增資
讓所有的發明家、探險家、藝術家
用電腦科技脫離三餐不繼
以想像力虛擬一個更美好的世紀。
千禧年第一
從2000數

wwwelcome to the ArtFuture

歡迎光臨，數位藝術紀

二〇〇〇年十一月十七至二十七日，臺北新光三越信義店六樓文化會館，
我們準備占地五百七十六坪的藝術蘇活空間，在攝氏25°C的溫度下，
用高科技鍛鍊你的數位性感帶。

在秋冬之際，在新舊世紀之際，
在科技與藝術之際，
我們找到一條和平雙享的時空交界，
不要定義，沒有派系，享受模糊，不計過往，
當我們同在未來的倒數計時，
就一起不負責任地狂歡十一天。

風頭仍健的科技，決定在這個世紀的最後，
向藝術學習伸展到新世紀的柔軟身段；
藝術也想通了「孤獨的人是可恥的」道理，
與科技和談，結黨同盟，改用滑鼠創世紀。

在數位藝術誕生之際，我們發動大規模的數位藝術紀，
讓藝術家和科學家牽手開派對，
上個世紀的人，與e世紀的人一起發瘋飆世界：

從歐洲一路開過來的四線道終極車陣，
讓身體在電腦的攻擊中玩躲避球；
遠從歐美而來的數位藝術館長和專家，
他們要和你約在十一月十五日碰個面聊聊天；
此外，我們將公佈首屆數位藝術大賽得獎名單，
讓你知道，哪些人把這筆一〇〇萬瓜分光。

還有十多部影片、四場座談，讓你在十一天的科技高氧中，
吸收最高單位的數位藝術養分。

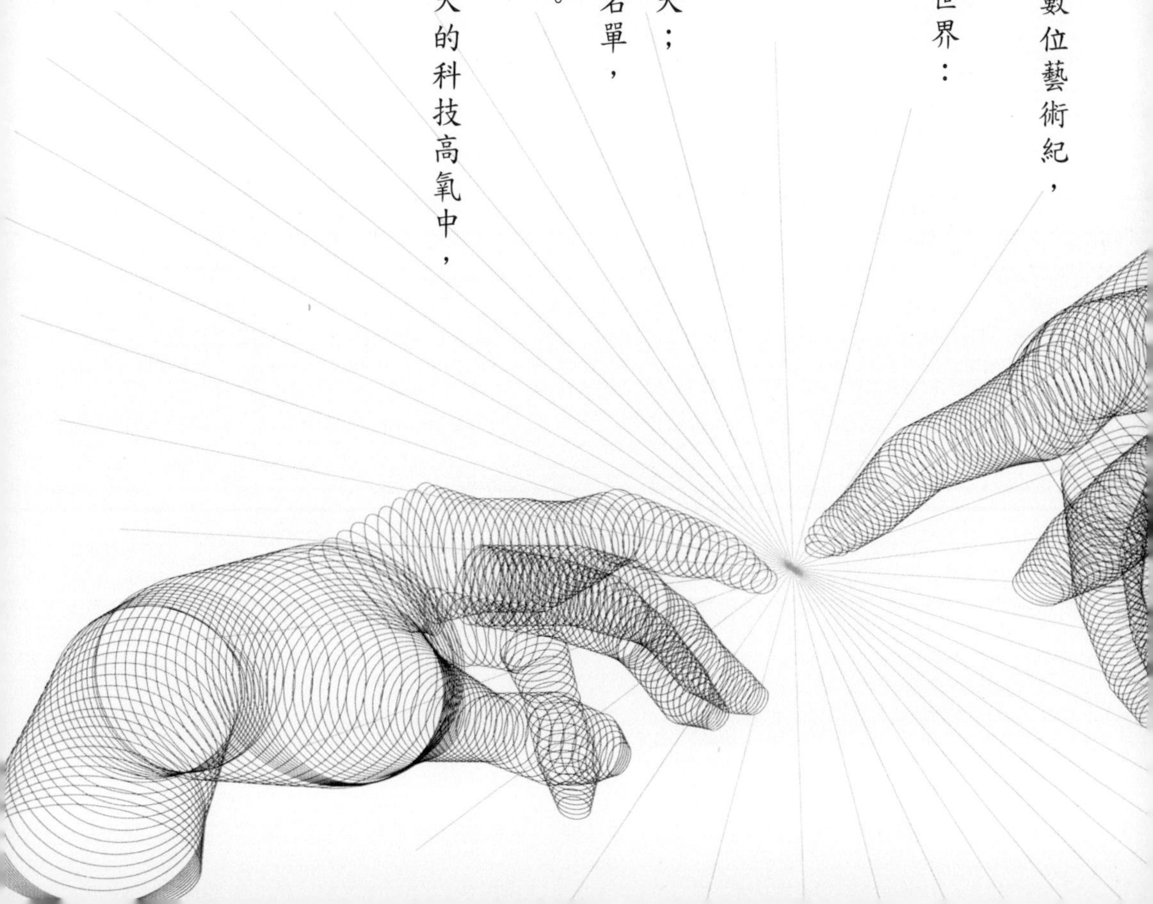

主題館——終極車陣，超速快感

這個名為Intersection的作品，是歐洲創作者Don Ritter，精心製作的大型互動性聲音裝置。
你可能有玩過碰碰車，但你一定沒像電影狂奔的男主角一樣，在高速的車陣中玩閃躲的遊戲。

現在Don Ritter把車陣開來臺北，讓你現場體驗在四線道裡奪命追殺的超速快感！

體驗區——數位感官，藝術感性

八大攤位，歡迎光臨聲色場所，鍛鍊你的數位性感本能。

競技場——十五件決選，戰況激烈

除了公佈數位藝術競賽的今年得獎者外，
現場也會展示從各國脫穎而出的入圍作品，

目睹一位變數位，藝術家變e術家的精彩戰況。

高峰會——科技與人文對話

德國ZKM媒體美術館館長Jeffery Shaw、
荷蘭影像媒體藝術中心館長Neiner Hotapples、
奧地利電子藝術中心館長Gerfried Stocker、
SFMOMA三藩市現代美術館策展人Benjamin Weil……
約你十一月十五日在這裡見面！

研究院——為期九天，數位藝術大進補
動畫、網路創作、電子音樂、數位攝影……
我們用影片、課程、座談，迅速提升你的數位藝術功力。

二〇〇〇年是二十世紀最後一年，也是二十一世紀的前一年。
在這個新舊交班，時序歸零之際，
這一年所發生的事物，將會深深地牽動著新世紀的未來走向。

初生之犢不畏虎。
Acer數位藝術中心辦的第一屆活動，
我們就帶著最廣的野心版面、最永恆的時間軸
為它許名做「數位藝術紀」。

然後我們陪著緊鑼密鼓地催生一連串的活動：
從研習營、講座、競賽、高峰會、展覽……
在二〇〇〇年之初把這些預定計畫當成預言般地大聲宣告，
然後以文圖與具體行動，一一實現。

以上這些走在時間之後、歷史之前的文字，
是身為文創者的我，
對當刻的理想最初與最後的記錄。

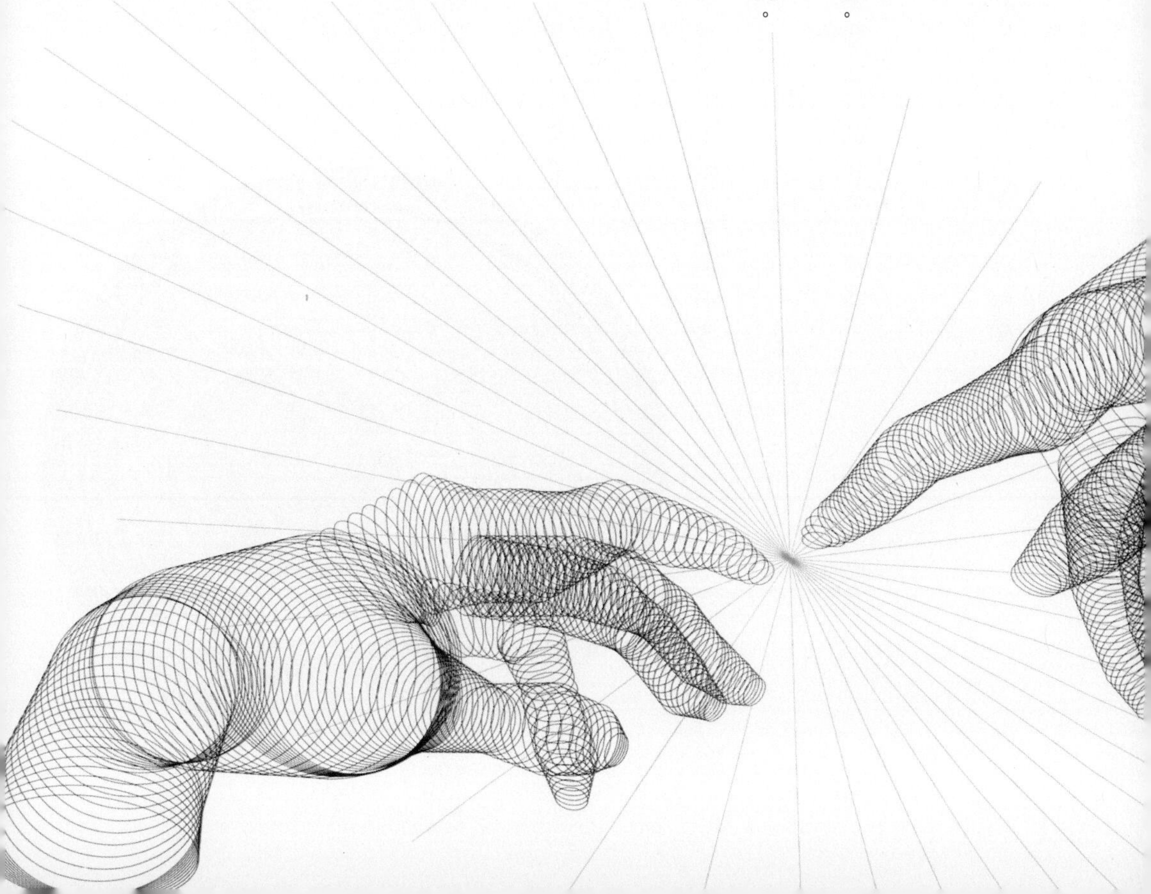

華碩與我的全世界

麥克魯漢說，只要將人的身體或感官加以延伸，
都是媒體，從衣服到電腦都是。

我手上這台不到一公斤的華碩筆記型電腦，
是陪著我一起延伸感官、冒險體驗世界的好旅伴。

我帶著她到印度恆河、泰姬瑪哈陵，寫下了思念的情書，
連同我穿印度紗麗的自拍照片，傳給我的男友。

我帶著她去威尼斯看嘉年華會，整個聖馬可廣場上千張美麗的面容，
在她懷裡擺成了一列數位的華麗展覽館。

我帶著她到希臘聖特里尼島，把愛琴海上的藍色海風和金色夕陽，
都移進了我看電腦的視線中。

我帶著她去挪威峽灣的日不落景，把在芬蘭拍到的聖誕老公公與麋鹿，
做成了耶誕節的電子賀卡，寄給了我在巴黎的好友。

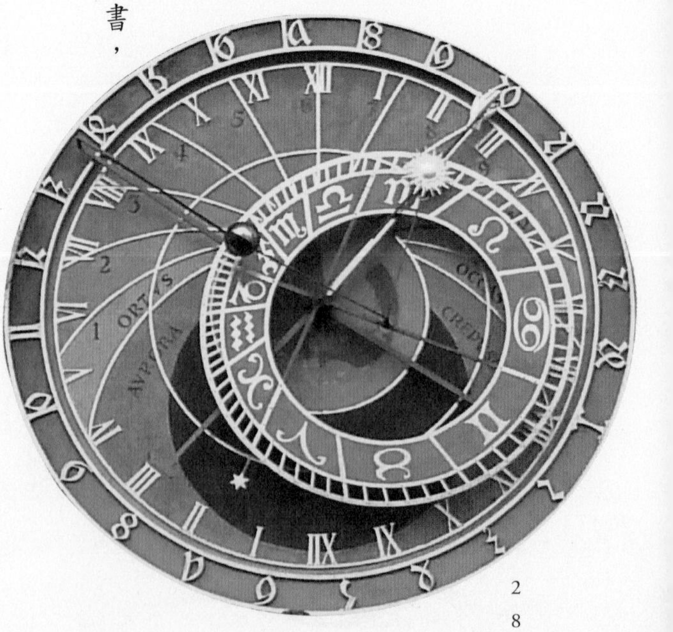

我帶著她到西藏拉薩，陪我爬到了海拔四千多的布達拉宮，
當我高山症住進西藏拉薩人民醫院時，她也徹夜陪我在急診室裡解悶。

我帶著她到東非馬賽馬拉草原看動物大遷徙，
把數位相機裡的獅群、斑馬、獵豹、河馬、長頸鹿、大象……
一一請上來，她瞬間變成了一艘：乘載萬獸的諾亞方舟。

她很輕，完全不會讓我的旅行增加太重的負擔。
她很博學，無論我在生活上想知道什麼，她總是第一時間幫我解惑。
她很善於交際，無論我在挪威的北極圈，或是肯亞的赤道，
我都可以上網與朋友分享我的興奮。

她很善解人意，
當我低潮沮喪，找不到人訴苦時，我總會把心事告訴她，
她很有耐心地收著我一篇篇的電子日記，而且還幫我保密。

我完全無法想像沒有她的日子。

一九九九·科技打造藝術部落

米開朗基羅利用動畫技術，
把大衛變成比李奧納多還紅的男主角。

莫內被迪士尼延攬為藝術總監，
他的光影技術動輒百萬元美金，以秒計費。

梵谷學會了電腦繪圖後，
他的作品因荷蘭信用卡的超大看板而身價暴漲。

達利做的超現實互動式網站，虛擬實境特效十足，
廣告收益還超過了Yahoo。

約翰·藍儂運用了電子合音技術，
唱片銷量超過了小室哲哉。

畢卡索因杯墊、領帶、月曆、記事本等周邊收益不斷，
他的名字比比爾蓋茲還值錢。

藝術因科技的無遠弗屆而身價百倍，
科技因藝術的經典價值而深入人心。

第三屆科技藝術節，
讓左腦的理性技術，畫出右腦的感性版圖，
以電腦實驗創意的無限，
科技與藝術的聯姻，讓我們的未來更有趣。

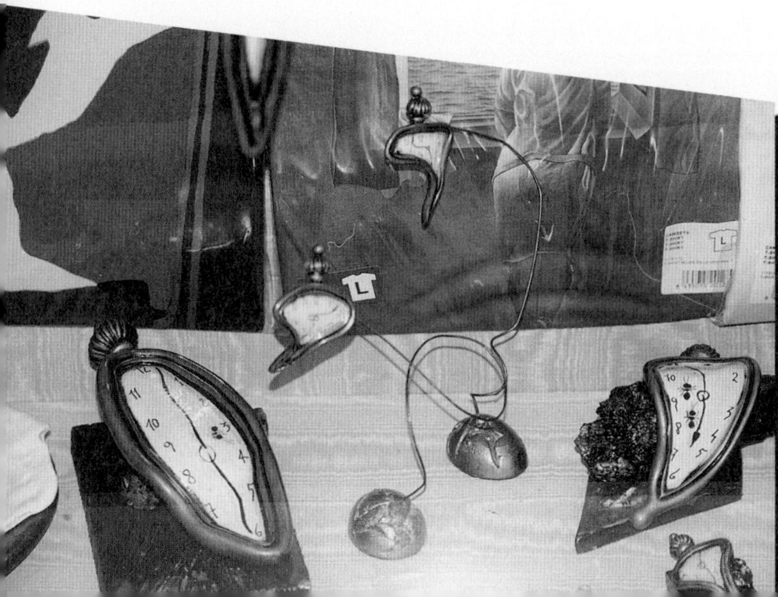

夏秋之際，帶著你想冒險的靈魂來入戲！

八月五日至九月十四日整整六星期，十場來自印尼、智利、法國、香港的藝次元在台北交會，
你的靈魂將被徹底洗滌，你的感官將被完全置換，
自這次二〇〇八台北藝遊未盡之後，
你看待自己、看待他人、看待世界萬物都將不一樣了。
第十屆台北藝術節，展現十全十美的藝術饗宴。

1 遊未盡：

打開一部有力量的宇宙史詩。
印尼創世紀神話史詩：加利哥的故事《I La Galigo》
八月七日—八月十日，啟動神與人的宿命劇本。

改編自六千頁印尼南蘇拉威西島〈Sureg Galigo〉神話史詩，一個關於神與半神半人之間，命運、愛情、冒險、暴力、空虛、贖罪的旅程。這部史詩手稿，被印尼布吉司人視為神聖象徵，在特殊儀式時吟唱，同時舉行奉獻、焚香、召靈的祭禮。故事中的靈魂長留在手稿之中，當手稿被打開，這些靈魂會出現，可請求治病、解難、祈福。這部史詩在全世界不到一百人可以讀懂，但本身已成為布吉司人慶典禮儀、日常生活的文化指南。

2

遊未盡：

港口水手、檳榔西施、幻愛與酒館。

台灣原創音樂劇：浮浪貢開花

八月七日—八月十日，現實縮影在酒館裡，進行一場胡撇仔的愛情美學。

3

遊未盡：

冷酷與溫暖、黑暗與光的人性劇場。

智利多媒體電影劇場：黑暗裡有光《Sin Sangre》

八月二十二日—八月二十四日，血與愛、恨與溫暖，在電影式的劇場上演。

改編自義大利作家Alessandro Baricco小說，以電影與劇場的雙型式，讓觀眾進入戲劇的無時間感，體驗一個既冷酷又溫暖、既黑暗又有光的高反差情緒空間。

4

遊未盡：

窒息的浪漫，十九世紀巴黎名妓最淒美的愛情

奧地利格拉茲劇院副藝術總監余能盛編舞：全本芭蕾舞劇《茶花女》

八月十五日—八月十七日，紗幕、茶花舞台、男女激情雙舞的無言之美。

義大利作曲家威爾第，根據法國文學家小仲馬小說所改編的歌劇，淒美的旋律與豐盈的管絃樂法，使得這齣歌劇深受世人的喜愛。然而當以歌唱鋪陳劇情的歌劇轉換成無言的芭蕾舞劇時，音樂卻給了編舞者極大的想像空間與挑戰。

5 遊未盡：

雙偶之戀，殺了一位偶戲師之後。

台法跨國原創偶戲：戲箱〈La Boite〉

八月十五日—八月十七日，一對偶的台法異國戀情正在發生。

一個法國年輕男孩愛上了台灣的年輕女孩，只是他們，都是偶。文化不同，但是他們無論如何都想在一起。不管遇到什麼困難，兩個分離的偶都要排除萬難見上一面。於是，這個男孩為了找尋她心愛的女孩，殺了偶戲師，卻也讓他失去了女孩！

6 遊未盡：

痛失所愛，一場為愛復仇的除魔殺戮。

霹靂英雄音樂劇：刀戟勘魔．夢醒江湖女

八月二十二日—八月二十四日，一場魔界的愛與恨、生與死、合與戰的劇碼。

7 遊未盡：

以佛教華嚴經為本的演出。

廣場原創音樂劇—華嚴經：心如工畫師

八月二十四日—八月三十一日，整個廣場都被音樂、戲、故事佔領了。

8 遊未盡：

佛的宇宙論，華嚴經的無盡大千世界。

二〇〇八臺北藝穗節，二月十九日集結完畢，八月十八日「藝」鳴驚人。

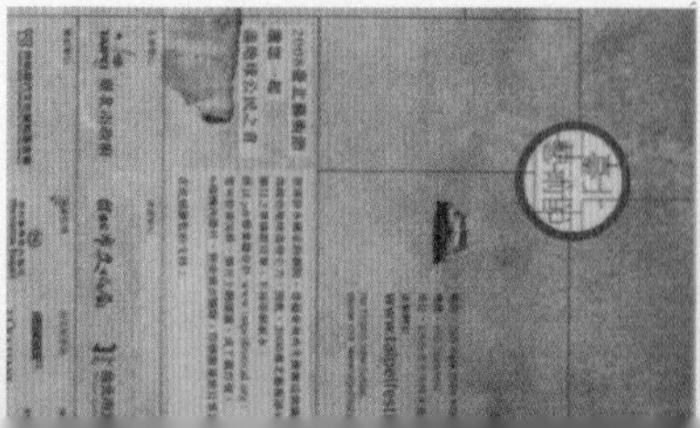

多媒體生命劇場：華嚴經2.0
八月二十九日—八月三十一日，帶你進入彩光、蓮花、海的喜悟境界。佛陀在菩提樹下初成正覺、首次宣講的佛法《華嚴經》，由諾貝爾和平獎被提名人一行禪師寫成文本，董陽孜提供書法、香港著名美術指導張叔平做形象設計、林夕為文字創作、音樂由于逸堯，以光共構出華藏世界的重重無盡。

9 遊未盡：

在哲學文本裡實驗光、空間與物質。
多媒體建築音樂劇場．建築師路康的爵士酒吧
九月五日—九月七日，搬一棟建築上台，讓光、爵士樂、影像一起交歡。哲學是一切萬物的文本。先在舞臺上蓋一棟不永恆的建築，成為現場爵士樂手無負擔的靈魂即興實驗室；舞台上有建築師、旁觀者、舞台下有我們，光、影像與空間在此前衛佈局，形成一種哲學性的巨大激動，在爵士吧現場的你不可能置身事外。

10 遊未盡：

迷宮之城、左女右男在圓中相遇。
幾米音樂劇場：向左走．向右走
九月十二日—九月十四日。
迷宮般的城市中，一對單身男女，住在同一公寓大樓，一牆之隔，卻不曾相遇。她總是習慣向左走，而他卻慣性地向右走。茫茫人海之中，兩個人的相遇，是機緣巧合還是命中註定的緣份？

Bertrand Russell
POVIJEST
ZAPADNE FILOZOFIJE
Georgij Paro
Michael Burleigh
TREĆI REICH
NOVA POVIJEST
SATURN
F. WILLIAM ENGDAHL
MITOVI, LAŽI I
RATOVI ZA NAFTU
Buffett
i posao
života
ATATURK
NAZARBAJEV
TUĐMANOVA BAŠTINA
TUĐMANOVA BAŠTINA
Davor Domazet-Lošo KLONOVI NASTUPAJU
Gazdarica na vratima
Gazdarica na vratima
Gazdarica na vratima
Novo!
New!
Delmatica
DUBROVNIK
DUBROVNIK IN
WAR
SERVING MY
COUNTRY
VEDRAN BENIĆ
DUBROVAČKI
SPOMENAR
SENTIMENTALNO PUTOVANJE
SJEĆANJEM NA GRAD
Croatia

附錄

感謝

安哲羅普洛斯。奇士勞斯基。拉斯凡提爾。
法斯賓達。貝托魯奇。費里尼。
柏格曼。彼德・格林納威。楚浮。
布列松。溫德斯。高達。
阿莫多瓦。黑澤明。小津安二郎。
伊丹十三。侯孝賢。張藝謀。
大島渚。寺山修司。荒木經惟。
三宅一生。山本耀司。村上春樹。
賈西亞・馬奎斯。卡夫卡。西蒙波娃。
彼德・梅爾。卡爾維諾。羅蘭・巴特。
米蘭昆德拉。波赫士。三島由紀夫。
索甲仁波切。張愛玲。瑪格麗特・莒哈絲。
波特萊爾。村上龍。聖修伯里。
維吉尼亞・吳爾芙。金基德。

因為他們是讓這座創意魔島浮起來的最大動力。

廣告的百年喧嘩

街頭賣藥是我對廣告最初，也是最深的記憶

李欣頻（以下簡稱李）：你從事廣告這麼多年，以創意總監之姿，橫跨奧美與意識形態兩大廣告派系，縱看臺灣廣告數十年的變化，你可以簡單地回想，你對廣告最初的記憶是什麼？

葉旻振（以下簡稱葉）：對我而言，人一出生呱呱墜地，就是廣告的開始：嬰兒以啕啕之聲，向世人宣告他的來臨，就是廣告最原始的形式。只要有人想表達，想生存，想交易，廣告就必然存在。

談到具體的廣告，我記憶中最初的樣貌，就是在老家巷口圓環叫賣膏藥的「廣告人」，他們在固定的地方表演功夫，表演藥效，汗水淋漓，一種難忘而且身歷其境的說服力。以前只要推開窗子，就可以看到這些活廣告，現在則是打開電視，看唯美、有配樂、大量重複的廣告影片。相較之下，早期廣告那種咄咄逼人的架勢沒了，你只能從電視的購物廣告裡，從賣鍋子、賣健身器、賣果菜機的語言中，看到臺灣廣告早初的生命力。

在地化到美國化，現在變成了日本風格的臺灣廣告

李：新世紀來臨，你可以在新改變未至之際，向我們簡述你印象中的臺灣廣告史嗎？

葉：早期臺灣廣告是本土煉鋼，往往是廣告公司老闆身兼業務又兼廣告文案，然後找個美工做做，印好了就開始賣東西。一張廣告DM總是說滿滿老王賣瓜自賣自誇的各大賣點，只有產品而沒有品牌的概念。自從外商公司進入臺灣，如奧美、智威湯遜等等，他們帶來的美式廣告概念，例如：廣告單一訴求、建立品牌等原則，在臺灣掀起了第一波革命。在這一波美式廣告影響之後，開始有另一批不安現狀的廣告創意人，向日本學習廣告美學，比方意識形態廣告的興起，再加上最近的哈日風，讓現在有些臺灣的廣告片開始配上日文旁白，明顯地深受日本文化的影響。

李：跳回臺灣廣告的歷史軸線上，你印象中最深刻的廣告句子有哪些？

葉：其實臺灣早期的廣告詞都很簡潔有力，例如：「大同大同服務好」、「兩三下就清潔溜溜」、「媽媽愛用綠油精」、「通樂，一通就樂」等。但現在環境變了，人變複雜，信任感降低，溝通也就沒那麼容易。現在的廣告人已經不能赤裸裸地賣東西，要用巴黎的雨包裝左岸咖啡，要用波特萊爾的詩包裝誠品書店，要用秋天的柿子包裝中興百貨……，總之要說一個故事，做一點幻想，加一些效果，引一段文學，演一齣幽默，呈現現代人嚮往的意境，這就是現在廣告比電視節目好看的原因。

廣告是人類物化的原凶嗎？我們還能相信廣告嗎？

李：問一個學校廣告系課堂上常被討論的道德問題——廣告建立品牌，我們以消費者的身分認同品牌，讓人與人的關係簡化成了品牌連結：親子關係是一頓麥當勞的生日PARTY，年輕人的勇氣是一瓶可口可樂，對寵物之情是排隊收集 Hello Kitty，一隻依人際分色的大哥大決定你的交友階級……，這些品牌帝國主義，模糊了各種族的獨特生活方式與情感，你認為廣告是不是人類物化和被殖民化的真凶？

葉：我原本念的是哲學系，廣告把人階級化、物化的問題，也困擾我剛進廣告圈的頭幾年，不過仔細想想，孰因孰果很難說，極可能是因為工業化之後，人變得更寂寞、疏離，於是廣告找到了這樣的縫隙，向一個孤獨的中年人賣有友情的咖啡；向一個渴望自由的人，賣一台走天涯的休旅車；向一個等待誓言的女人，賣一顆永恆的鑽戒；向一個不快樂的小孩，賣二十四小時可以聽他說話的皮卡丘……。有情緒的廣告，填補了現代人的失落感，有心理功效的商品是他們的新慰藉，這都是工業化、資本化的結果，廣告只是趁虛而入，頂多只是共犯，還不算元兇。換一個角度看，廣告讓人更會妝扮自己，更會享受生活，不也是一種向上提升的力量嗎？

李：既然廣告如此美好，為什麼更多的人寧可相信虛構的電影，為鐵達尼克號掉淚，卻很少人相信一支誠實的、呈現產品具體優點的廣告，甚至很難勸得動他們去衝動購買？

葉：廣告雖然可以播出很多次，但每次說服的時間都很短；電影雖然多半只看一次，兩個小時卻可以好好說完一個故事，差別就在這裡。所以現在幽默式的廣告最受歡迎，就是因為它可以在瞬間脫「影」而出，抓到你的視線和注意力，讓你大笑三聲，看三遍也不厭倦。

一句廣告詞與一段詩的價值比較

李：我覺得不平的是，一句廣告slogan，因為廠商砸了上千萬的廣告費，變成了男女老少朗朗上口的廣告金句；而一句發人深省的詩，卻因詩集的滯銷而默默無聞——有錢的人說話可以大聲，沒人在乎營不營養，明天怎麼可能會更好？廣告才是社會向下沉淪的力量！

葉：我也同意這樣的批判。如果波特萊爾的一段詩，我們給它的廣告量和通訊手機相同，它一樣能對社會造成相當的影響力，甚至更大。只是我們不得不承認，藝術向來只是少數人的財產，以前是有錢有閒的貴族專有，現在則是有鑑賞力、有品味、有文化資本的高級雅痞才懂得它的價值。廣告因為有了這些高級雅痞的加入，比方喜歡讀詩的人去寫文案，熱愛電影的人在拍廣告片，有藝術Sense的人，以高人一等的美學標準去設計廣告或包裝風格……，讓這些原本只看偶像劇、只聽電子搖頭音樂、唯讀言情羅曼史小說的人，透過廣告聽到了貝多芬，讀到了村上春樹，看到了Benetton血淋淋人性的藝術相片，並開始習慣導演王家衛的攝影風格……，套一句政治人物說的一句話：「廣告可以不擇手段，但不能沒有格調。」這就是廣告的魅力與魔力。

將來被科技過濾掉的廣告，還有未來嗎？

李：現在的科技，讓我們可以過濾垃圾郵件；設定好的遙控器，也將幫我們過濾電視廣告，你對這樣科技絕緣廣告的未來，有什麼看法？

葉：科技只是一種手段，並不能完全阻斷人的溝通。回到原點，「口碑」就是最好的廣告，自古皆然；比方現在的電視節目很難看，如果大家都在談論一則好看的廣告，好朋友的大力推薦或在電腦上、手機中轉寄，你就很難置身事外，一定會想辦法看到這則廣告，以加入他們的討論。廣告已經不只有銷售的目的，它還有娛樂的功能，這麼多好看而引起熱烈討論的廣告片，就是廣告人努力，與資訊競爭的結果。況且，道高一尺魔高一丈，嗅覺靈敏的廣告人，只要流行的風一轉向，廣告就能以最快的速度隨機應變，馬上改變溝通的方式，像孫悟空逃不了如來佛的手掌心，廣告也永遠不可能落伍。

世界上只有專業的廣告人，沒有業餘的藝術家

李：不過太多「好看」的廣告，很容易讓人忘了商品是什麼吧！Edward de Bono就認為，廣告人不應該有創意，應該要像政治家一樣，引人注意並善於溝通，因為有創意的人往往不會溝通。

葉：對啊！做廣告畢竟不像創作，總要思考目標物件、銷售目的，廣告沒辦法滿足一個人的創作欲，所以「我有話要說」的文案去當作家，Art去畫漫畫，CF導演宣稱要賺廣告主的錢拍自己的電影……，不過世界上只有專業的廣告人，沒有業餘的藝術家，除非下定決心離開廣告業，像彼得・梅爾，或像亞倫・派克那樣全心創作才有可能，否則像我這樣每天被廣告高度磨損，很難有什麼純粹的創作。

李：你覺得廣告與藝術的關係為何？

葉：我喜歡藝術，我比較不像是商人，我當然期待能在更多的廣告上偷渡藝術的因素，一方面很高興落魄很久的梵谷自畫像，變成了人手一張的信用卡，也樂見於在很多廣告片中看到大衛像，而不只在美術館裡……，藝術是人類文明的精華，理當成為傳媒的共同符號及養分，如果一個觀眾，從一支飲料的廣告中聽說了村上春樹，然後他經過書店去翻閱村上春樹，閱讀村上春樹，喜歡村上春樹，購買村上春樹，不是也很好嗎？日本知名廣告人絲井重里，不就是就用村上春樹及其他日本作家的手稿，做出一系列的鋼筆廣告嗎？我也曾想過，如果有一天，人們看電視的時間越來越少，花更多的時間在看書，廣告就可以登在作家的書上，甚至讓作家自己書寫廣告文案，這樣廣告不僅質高而且有效，商業上的收益還可以讓作家過得好一點，像明星運動員一樣。

李：你贊成藝術家去做廣告，以提升廣告水準，美化我們的視聽生活嗎？

葉：對！我贊成有些商品可以找藝術家做廣告，但要找對的藝術家，我指的是與商品的調性對味而且對位的創作者。舉個侯孝賢在日本拍的一支公益廣告：一個老太太等時間到了，看見外頭下著雨，就溫柔地撐著傘，走到車站去接老爺爺回家，最後字幕打出來：這麼幸福的畫面，可惜下的是酸雨。像這種很侯導風格，把酸雨的詮釋得發人深省，這就是一部很有藝術價值的廣告作品。此外，再舉一個有趣的例子：戈達爾曾替NIKE拍的電視廣告：一個人很努力、很努力地跑，後頭緊接著一個窮追不捨的死神……那個跑在前頭努力逃命的人，穿著正是NIKE的球鞋！……可惜這支廣告片NIKE不敢用。

廣告獎的自慰儀式

李：你覺得引領臺灣廣告向前的動力是什麼？

葉：我覺得是一些小品牌的商品——廣告主敢投資，加上廣告人的勇氣，所以常有驚人的傑作，比方像早期的中興百貨廣告，因為大品牌怕失敗，進步比較慢。

李：你覺得廣告獎對廣告業的意義？

葉：廣告獎當然能維持基本的廣告作品水準，同時讓廣告主不要只以銷售成績，為廣告好壞的唯一標準。但現在廣告獎已經淪為廣告公司和廣告人的年度自慰儀式，得獎了，廣告公司老闆比較高興，廣告主不一定開心，因為他們還是只看業績。如果廣告獎能辦得像電影金像獎那樣風光，或許得獎片還可以回頭增加票房。我比較期待像日本有些廣告人協會，同個領域專長的人聚在一起切磋琢磨，一起進步；不像臺灣的廣告公司之間彼此相輕，廣告協會也成了廣告公司老闆討論如何保全利益的場合。

現在的廣告，就是百年後的流行文化紀錄片

李：你覺得百年之後，後代人可以從我們的廣告中，得知我們的文化及生活方式嗎？

葉：其實不用等到百年之後，如果你初到一個陌生的國家，只要打開他們的電視廣告，從廣告片中的場景、陳設、用色、人的打扮、音樂、說話方式……就知道這個國家現在正在流行什麼；廣告就像總匯三明治，只要是熱門的就不會被遺漏。現在的廣告，就是百年後的流行文化紀錄片。

如果廣告人不做廣告，要做什麼？

李：最後問你一個問題，如果你將來不做廣告了，要做什麼？

葉：我會自己開店，然後自己決定這家店的一切，包括店名、風格、菜色、廣告在內，用後半生體驗自製自銷，自給自足的快樂！

（李欣頻整理，原刊載於二〇〇〇年九月二十五日《聯合報》）

戀物者的懺悔儀式《五十一種物戀》

從事廣告文案長達十多年的我，體悟到一個好的文案，應該是個詩人，而一個好的詩人，就是一個哲學家。反推來看，哲學家就是最好的廣告文案——這本由法國當代哲學家德瓦（Roger-Pol Droit）所寫的《五十一種物戀》（大塊文化出版），就是很精彩的商品型錄。

從別人隨口問候的一句「一切事物都好嗎？」，作者開始疑惑：哪些是事物？哪些算是屬於他的事物？事物有自己的生命嗎？怎樣才算好或壞⋯⋯。他以哲學深度思考了身邊的五十一件物品，於是就為這些物件找出了如此有趣的定義——「碗」：不是為了在餐桌上炫耀主人的品味，而是為了終止永無止境的流動。「迴紋針」：不只是辦公室裡分類歸檔的工具，而是溫和地抗拒散亂，堅定地抓住秩序，本身就是一種倫理。「搖控器」：可以隔空展現思緒萬能、心想事成的巫術道具。「鑰匙」：擁有誰在門內、誰在門外的控制權。「涼鞋」：是一種介面，介於自然與文化、肉體與土地、過去與現在、手藝與工藝、熱與冷之間，是一張使不同世界得以共存、相接的薄膜，亦是一處與移動、輕盈、風有關的世界縐褶。「叉子」：拉遠人與食物的距離，將世界數理化，與他人的關係中立化。「鑽子」：提供一個精確密切的性愛招式一覽表。「雨傘」：一個攜帶式的屋頂，一片屬於自己量身訂做的天空。

一如德瓦所說，事物會出海、會上學、會回家、會前進後退、會在你在與不在的地方，而不是我們所以為的，只有在櫥窗、帳罩、儲藏室、廣告型錄、拍賣網站或是垃圾掩埋場裡，任人索求或是拋棄。我們一直以為人是萬物的尺度，其實物才是眾人的尺度。

就學術角度來看，這就是一本看物的方法論，裡面隱藏著許多人與物、主客觀間的精彩思辨，卻比學術論文好看多了。

我閱讀的後遺症是，如果照德瓦「每個物件都有一個獨特靈魂」之思維，去思考身邊的每一件事物，我應該會花上後半生全部的心力，而且再也不敢買新的物品了。這是一本商品型錄，卻讓一向無意識血拼的我們，更有覺知地看待消費這件事，其效果是反消費的，宛如五十一場戀物者懺悔的儀式。

神是人的造物主，人是物的造物主，當人開始思考，或許上帝真的開始發笑了。

私處、私刑、很時尚的私人型錄
彼得・格林納威《塔斯魯波的手提箱》

我是彼得・格林納威（Peter Grenaway）的超級瘋狂影迷，已經等好久他的新片未果。這次，終於可以看到他在二〇〇三年坎城影展競賽片《塔斯魯波的手提箱》，我就算是被打斷腿也會拄著拐杖去看，死都不會錯過。

果然很時尚。他的風格再度復興，這讓離開廣告圈已久的我，又莫名地偏執了起來。整部片以塔斯魯波的手提箱為串場，他的手提箱裡什麼都可以裝，包括真假青蛙、空投物資、有價情書、香水、子彈孔、魚、清潔用品、染血壁紙、剛被凌虐致死的情侶衣衫……，擺置宛如一個個小型的精品百貨櫥窗般──這個偏執收集狂，真是把百科全書的意境發揮到極致，每一個手提箱都是系統，每一項物件都是學問。例如導演以慢動作三百六十度旋轉的鏡頭，像展現珠寶鑽戒般地呈現煤礦之美；例如一頁頁眼睛、嘴、手、臉的人體局部型錄；例如一場正在發生的對話下方還有畫面批註……太多彼得・格林納威式的語彙在這部片裡集大成，更絕的是，導演還在此片推崇蝸牛是終極的中產階級，因為它們雌雄同體，自給自足，住在家裡不出門，卻又背著家到處旅行、無處不是家。

整部片私處、私刑、拷問、軍隊、口令與動作不斷，私人史以如詩般的型錄方式呈現。每一情節充滿了危險的界限、警告的語言、處罰的次數……都是前所未見、讓人驚心動魄的暴力美學──如果你是那種總是無意識重複時尚動作的強迫症病患，或是常處於精神分裂式的分割畫面幻覺者，這部片真的會讓你病情加重，因為彼得・格林納威逼得我們不得不相信，我們都是天生有罪的囚犯，每個人都正被獄卒嚴厲管束中。

《塔斯魯波的手提箱》，讓我這個準彼得・格林納威迷，在第一時間目睹了最新一季的視覺時尚秀，看完了這部，我會從極豐沛一直等到漸枯竭，直到他下一部片出來為止。

影評二

《塔斯魯波的手提箱之安特衛普》

繼《塔斯魯波的手提箱》之後，這次彼得．格林納威仍繼續提供風格的新視聽養分：《塔斯魯波的手提箱之安特衛普》及《塔斯魯波的手提箱II》，即是彼得．格林納威迷得以繼續朝聖、以獲取最新一季靈感的時尚儀式。

在《塔斯魯波的手提箱之安特衛普》一片中，一樣是手提箱，上回裝的是真假青蛙、空投物資、有價情書、香水、子彈孔、魚、清潔用品、染血壁紙、剛被凌虐致死的情侶衣衫……；這回裝的則是牙齒、哨子、打字機、鑰匙、櫻桃、地名、《安娜．卡列尼娜》、蠟燭、銅幣、護照……，即是代表世界的種種物件。一樣是在火車站，這回加了更深的哲學意涵，將各候車月台視為各世界的介面，準時發車的火車站即是宇宙之鐘，「現在」即是「現實」的時刻，所以必須把幻想藏好（不可以把私人的幻想放在公共領域中），整個火車站正在進行一場沒有結局的陰謀，擁有一張火車時刻表和一雙自由的鞋子就可以逃亡。

整部片以精品櫥窗式的視覺，進行著軍事的秩序、效率與規律的美感，以至於我們可以看到優美的文字，加碼的數字，蔓長在整個毒打刑房、造愛囚室之中；以至於我們看到肥胖者穿制服時進行著驕傲的權力，在裸體時層層糜爛的贅肉卻是很商業主義的——整部影片形成了一種很詭異的新身體血統。

彼得．格林納威極華麗的圖文剪裁，讓整個虛實交雜的世界，在螢幕上變成了一頁頁影音與塗鴉混雜的打字稿——但由於高速更迭的視覺過於浩瀚龐雜，我們成了一直分心、永遠也不可能專心的讀者。

除非你對於彼得．格林納威有著失魂般的著迷，否則可能會被他異於世界邏輯的影片搞瘋，換句話說，你可能會在他瘋狂急亂的腦斷層裡迷路。

流動・城市・閱讀狂想曲

讓我們想像這樣的一個城市：所有的建築都在移動，地表有些地方像是旋轉舞臺，有些則像是軌道。我們要去郵局辦事，我們得先在內建雷達的筆記型電腦上，找到郵局目前的所在位置以及移動方向，像是在預測颱風路徑，算好自己與郵局的互動速度，如此才能在下一個路口，攔截到郵局的大門，順利寄出一封包裹。

郵差也必須在電腦中，找到他欲投遞的收件人目前最新行蹤，他必須要有福爾摩斯偵探式的敏銳度，他必須事先閱讀很多關於這位收件人的資料，包括她常去的餐廳、她常光顧的店、她的自設網站、她公開出版的日記、她的行程，以及隨時改變計畫路徑的情緒，包括她即將發生的戀情，郵差必須守時，因為羅密歐與茱麗葉的悲劇不能再發生，通報必須即時。

如果郵差讀不透收件人的心思，不能感同身受地進入她的靈魂，用她的眼光走著她的生活路徑，他就無法順利地將包裹交到她手上。

所以我們得常常一邊躲避迎面而來的警察局、法院、監獄，一邊往跑得很快的書店迫近。書店跑得很快的原因，是因為裡面有幾個很心急的創作者，帶著想像力，以夢的速度往前衝，而且飛得老遠，常超出地球軌道，橫衝直撞；如果不想跟著團團轉，就算平日在路上買菜，也很有可能撞到一本書，是從書店的離心力飛出來的——一本關於飛行的小說。這就是生活在這高速知識城市中的離心效應，無論你人在那裡，很難不與別人的思想擦撞，然後等傷口癒合，就能長出新的表皮組織，別人的細胞已經與自己溶體新生，我們越來越能知道別人的心思，別人也懂得我們的傷，然後我們的和平才開始。

一個行動不便的老人，則選擇坐在家裡客廳的窗邊，一動也不動地，因為人間事物在他眼前飛快地流動消逝：一棟新大樓在他眼前蓋好，然後又高速移出他的視線再也不回來；一個長得像他初戀愛人的小女孩在他眼前變老，相對地，他的不動似乎可以中止時間向他催老，然後他低頭緩慢地翻著他已經讀了好幾年的《追憶似水年華》。

年輕人則在移動快速的辦公室中，努力地抓取跑得更快的流行資訊，他想以更有效率的行動，增加自己手上剩餘可以用的時間，他以為擠身進世界高速的中心，時間就走得比較慢，但他錯過了一朵花經過的四季，錯過了一場午後雷陣雨，錯過了一對戀人的激動親吻，他錯過了生命的歷程，他瞬間老化。

所以一台時間倒走的筆記型電腦，變得很受歡迎。根據這台電腦，人一出生，就是老年，然後變中年，然後青年，童年，嬰兒期，所以我們是從生死書開始讀，然後讀回憶錄，讀歷史，然後讀勵志書、理財書，到教科書、到童話故事，越小的孩子越有智慧，越有想像力，越有體力，越有勇氣，就像我們得向西藏的轉世神童頂禮一般。

這個城市因為還在移動，時間還在流，所以我們無法停止閱讀。

《李欣頻的廣告四庫全書》之二：

廣告副作用：商業篇

作者　李欣頻
總編輯　龐君豪
責任編輯　歐陽瑩
封面設計　郭佳慈、曾美華
排版　菩薩蠻數位文化有限公司

發行人　曾大福
出版　暖暖書屋文化事業股份有限公司
地址　231新北市新店區德正街27巷28號
電話　02—29106069
傳真　02—29129001

總經銷　聯合發行股份有限公司
地址　231新北市新店區寶橋路235巷6弄6號2樓
電話　02—29178022
傳真　02—29158614

印刷　成陽印刷股份有限公司
出版日期　2016年11月（初版一刷）
定價　480元

國家圖書館出版品預行編目(CIP)資料

廣告副作用. 商業篇 / 李欣頻著. -- 初版. --
新北市：暖暖書屋文化, 2016.11
302面；16.5x23公分. -- (李欣頻的廣告四庫全書；2)

ISBN 978-986-91842-9-8 (平裝)

1.廣告作品 2.廣告文案

497.9　　104022253